Laurent Mauvignier

Over mannen

Vertaald uit het Frans door
Manik Sarkar en Pauline Sarkar

DE GEUS

Deze uitgave is mede mogelijk gemaakt dankzij een
bijdrage van de Europese Commissie in het kader
van het programma Cultuur 2000

Cultuur 2000

Oorspronkelijke titel *Des hommes*, verschenen bij
Les Éditions de Minuit

Published by arrangement with Literary Agency
Wandel Cruse, Paris

Omslagontwerp *total italic* (Thierry Wijnberg),
Amsterdam – Berlijn
Omslagillustratie © Birgit Tyrrell/Arcangel Images
ISBN 978 90 445 1670 8
NUR 302

En je wond, waar zit die? Ik vraag me af waar je geheime wond zit, die plek waar iedere mens naartoe vlucht als zijn trots wordt gekrenkt, als hij gewond raakt en die het middelpunt van zijn wezen wordt, die uitdijt, steeds groter wordt. Ieder mens weet waar hij zijn wond kan vinden, ja, ieder mens kan die wond zelf worden, dat pijnlijke, geheime hart.

JEAN GENET, *De koorddanser*

Middag

Het is al na kwart voor een 's middags en hij verbaast zich erover dat ze niet naar hem kijken, dat niemand verrast lijkt dat ook hij zijn best heeft gedaan, een jasje heeft aangetrokken met een bijpassende broek, een wit overhemd en zo'n skaileren stropdas die twintig jaar geleden in de mode was en die je nu nog in winkels met tweedehands kleren vindt.

Ze zullen vandaag zeggen dat hij niet eens zo stinkt. Ze zullen niet grappen dat hij een gratis maaltijd komt bietsen en nu eens een keertje niet hoeft te doen of hij toevallig in de buurt is. Ze zullen hem Houtvuur noemen, zoals ze dat al jaren doen, en sommigen zullen zich herinneren dat er onder al dat vuil en die wijndampen, onder alle verwaarlozing van zijn drieënzestig jaren, nog een echte voornaam zit.

Ze zullen zich herinneren dat achter dat Houtvuur een Bernard schuilgaat. Ze zullen horen hoe zijn zus die naam gebruikt: Bernard. Ze zullen zich herinneren dat hij niet altijd op andermans zak heeft geteerd. Ze zullen hem in de gaten houden, onopvallend om geen argwaan te wekken. Ze zullen zien dat hij nog steeds hetzelfde grijs-met-gele haar heeft – geel van de tabak, grijs van de houtskool – en dezelfde grote, vuile snor. En pikzwarte mee-eters op zijn neus, zijn pokdalige, bolle neus, die zo rond is als een appel. Blauwe ogen met onder de oogleden een roodachtige, opgezette huid. Een robuust, breed postuur. Maar ditmaal kunnen ze als ze goed kijken de sporen van de kam in zijn haren zien, zijn haar dat achteroverligt, en zullen ze merken dat hij een poging heeft gedaan om netjes voor de dag te komen. En dan zullen ze zelfs kunnen vaststellen dat hij niet gedronken heeft en er helemaal zo slecht niet uitziet.

We zagen hoe hij zijn Mobylette net als anders bij Patou parkeerde, er even omheen liep en toen de straat overstak naar ons toe, naar de feestzaal waar zijn zus Solange met al haar neven, nichten, broers en vrienden haar zestigste verjaardag en haar pensionering vierde.

En ook ik zal, uiteraard niet op dat moment maar later, als het allemaal achter de rug is, als we deze zaterdagmiddag achter ons laten met de lege feestzaal, de geur van wijn en koude tabak en de gevlekte en gescheurde papieren tafellakens, als de sneeuw op de betonnen tegels bij de deur de voetstappen heeft bedekt van de gasten die weer naar huis zijn gegaan om zich te verbazen over deze dag – dan zal ook ik alles weer voor me zien, en zal ik me erover verbazen hoe scherp, hoe helder alle gebeurtenissen me nog voor de geest staan.

Ik zal me herinneren dat ik hem zag toen Solange haar cadeaus in ontvangst nam: hij stond een beetje achteraf en frunnikte aan iets wat in de zak van zijn jasje zat. Dat jasje had ik hem nooit zien dragen, ook al kende ik het wel. Ik bedoel dat ik het nog nooit bij hem had gezien: het was een suède jasje waarvan de wollen voering bij de kraag te zien was. Het jasje was al wat versleten en ik bedacht nog dat het wel van een van de broers zou komen, de broers van hem en Solange, dat een van hen hem misschien wat oude kleren had gegeven als dank voor een klusje, een vracht hout naar de garage brengen, zoiets, of anders misschien zomaar, gewoon om zijn broer een kledingstuk te geven dat hij zelf niet meer nodig had.

Dat schoot er door me heen terwijl ik naar hem bleef kijken, omdat zijn rechterhand nog steeds in zijn zak zat en iets vast leek te houden, zijn sigaretten misschien, o nee, dat kon niet, die had ik hem in zijn achterzak zien stoppen.

De mensen begonnen steeds harder te praten, te lachen ook, een lach die van de ene mond naar de andere vloog nu de champagnekurken knalden en de glazen klonken. Solange had tientallen vrienden en kennissen zien passeren, gezichten die even vertrouwd waren als de foto's achter het glas van haar salonmeubel.

'Kom, Solange, drink nog wat!'

En Solange dronk.

'Kom, Solange!'

En Solange glimlachte, praatte en schaterde, en daarna waren we bijna vergeten dat ze er was, we gaven haar door van het ene groepje aan het andere, want er hadden zich allerlei groepjes gevormd op basis van verwantschap en interesses, en sommige mensen fladderden van het ene groepje naar het andere terwijl andere bepaalde groepjes juist meden.

Ik weet niet of ze hem ontliep; ze had begrepen dat

ze er niet onderuit kon om hem uit te nodigen, maar tegen de ontmoeting zag ze enorm op, meer nog dan tegen die met de Uil en haar echtgenoot of met Jean-Jacques, Micheline, Évelyne en nog een paar anderen. Vooral hem ontmoeten vond ze moeilijk. Zijn aanwezigheid. De aanwezigheid van Houtvuur – Bernard. De gêne die ik al eerder bij haar had bespeurd en die voortkwam uit haar schuldgevoel over al die keren dat ze zich in de keuken had verstopt om hem niet te hoeven binnenlaten als hij naar La Bassée kwam en na een lange pitstop bij Patou aan het hek ging staan brullen dat hij van haar hield, dat hij haar wilde zien, dat hij zijn zus wilde – nee móést spreken en hij riep, schreeuwde dat het móést, om uiteindelijk, als er niemand kwam, als alle nieuwbouwhuizen in de buurt niets anders dan stilte en leegte bleven uitstralen, soms zelfs dreigend te worden. Enkel stilte uit die huizen, zo hol als grotten, waarin zijn stem leek te verdwijnen, minder volume kreeg, gesmoord werd; en ten slotte gaf hij het dan op en slofte mopperend terug naar zijn Mobylette, die hem naar huis bracht of anders naar Patou, waar hij zijn teleurstelling over de dichte deur verzoop met nog een glaasje, en nog een om het af te leren, totdat hij zich er door Patou van liet overtuigen dat Solange moest werken, dat mensen nou eenmaal niet van de wind kunnen leven, een vrouwtje alleen met kinderen, je begrijpt ...

Uiteindelijk zei hij: ja, natuurlijk, ik snap het, mijn zus staat er alleen voor, en dan met die kinderen. Hij sloeg zijn ogen neer en werd rood van al dat onrecht, al die rotzooi, zoals hij tegen de andere gasten zei, tegen iedereen die het horen wilde, of liever gezegd tegen iedereen die niets beters te doen had dan hem te blijven zitten aanhoren, niet eens echt te luisteren, terwijl Jean-Marc of Patou hem zachtjes tot bedaren bracht. Ja hoor, Houtvuur. Ja, dat weten we. Je zus, ja, Houtvuur, inderdaad.

En bij het weggaan spuwde hij altijd bij de deur op de grond, altijd op dezelfde plaats; en hij wankelde, het leek altijd of hij elk moment door de knieën zou gaan terwijl dat nooit gebeurde, robuust als hij was ondanks zijn zwakte en ellende, ondanks het feit dat hij op sterven na dood was.

Maar het erge was zijn ongeduld. Zijn manier van glimlachen. Een soort vijandigheid in zijn voorkomen, argwaan, die hij toen al had, altijd al had gehad, ja, een zekere neerbuigendheid zelfs.

Dat heb ik altijd al gezien.

Ook nu ik hem daar zag staan, eerder opgepoetst dan schoon, een netheid waaraan je kon afzien hoeveel moeite, werk en volharding er schuilging achter de wens om presentabel voor de dag te komen.

En ik keek die middag langdurig naar hem. Waarom weet ik niet, maar mijn blik werd steeds weer naar hem toe getrokken. Hij zag mij niet. Ik zag hem een paar woorden wisselen met Jean-Michel, met Francis, ik zag hem glimlachen naar kinderen die hij niet herkende.

En toen nam hij opeens een beslissing.

Ik zag dat hij zijn rug rechtte, dat hij zich lang maakte en om zich heen keek, openlijk ditmaal, niet zo tersluiks als tot nu toe maar met gestrekte nek en wijdopen ogen. Ik zag nog net dat hij iets uit zijn zak haalde, maar het was zo klein dat ik het niet goed zag, dat ik niet begreep wat het kon zijn. Ik zag nog net dat het iets zwarts was wat hij in zijn handpalm hield. Hij klemde er meteen zijn vingers omheen. Hij balde zijn brede, zware, ruwe vuist.

Toen liep hij naar voren. Toen riep hij Solange. Toen liep hij nog verder naar voren en riep hij haar nog harder. Totdat de mensen even stokten, naar hem keken en zich verbaasden over zijn plotselinge elan, zijn activiteit, zijn glimlach en zijn energie: ik zou zeggen dat het de daadkracht was van een verlichte ziel – ik heb zo mijn redenen om dat te willen denken en het zo te willen zien – maar dat was het niet, het was de vreugde van een ietwat wereldvreemde, rare man die het onmogelijk prettig kon vinden om hier te zijn en die nooit zou zijn gekomen als iemand anders dan Solange hem had uitgenodigd. Waarmee ik bedoel dat hij geen gehoor zou hebben gegeven aan een uitnodiging van een van zijn andere broers of zussen, van geen van hen, ook al sprak hij ze weleens en nam hij af en toe hun uitnodiging aan, maar dan alleen om ze te kunnen bedanken voor wat oude kleren of omdat hij honger had, want de honger dreef hem zijn huis wel uit.

De mensen gingen opzij om hem te laten passeren. Het duurde even tot de verbazing zo groot werd dat alle bewegingen, blikken en gesprekken stokten. Het duurde even tot alle bewegingen trager werden en bevroren. Daar was meer dan een gebaar of een lach voor nodig, daar was een schreeuw voor nodig.

Nee, geen schreeuw van doodsangst of afgrijzen. Eerder een stem die breekt van stomme verbazing. Van geestdrift en iets wat daarmee botst. Iets wat nauwelijks uitkwam boven de andere stemmen en de rondvliegende aandacht die vaag op hem gericht was, op zijn gebaren, zijn stem, zijn tocht naar Solange die nog niet duidelijk genoeg was om een algemene stilte te veroorzaken en van iedereen een toehoorder te maken.

Toch is er altijd iemand die het merkt, altijd.

En ditmaal was het Marie-Jeanne die het als eerste merkte, omdat ze dicht bij Solange stond en ze precies op het moment waarop hij de tafel bereikte waar Solange tegenaan geleund stond, met haar hand helemaal plat op het papieren laken bij de rand van het tafelblad, net nog zo'n heerlijke petitfour wilde pakken, zo'n pasteitje van ansjovis of tonijnmousse, zodat ze zich moest verplaatsen of zich in elk geval moest omdraaien, het doet er ook niet toe, en hem toen plotseling vlak voor zich zag staan en een ogenblik lang dacht dat hij zijn hand met daarin het kleine doosje – dat niet, zoals ik eerst dacht, zwart was, maar donkerblauw met een goud randje – naar háár uitstak, dat hij háár iets wilde geven, dat zíj het was die een onverwacht cadeau kreeg, dat die dikke eeltige hand naar háár toe kwam, de hand van die man die niemand hier verwacht had en die zo vervaarlijk was dat ze hoe dan ook geschreeuwd zou hebben, ook als er niets in had gezeten, ook als hij niet naar haar was uitgestoken, ook als de vuist niet gebald was geweest en er geen klein nachtblauw doosje in had gezeten.

En daarna, tja, zo'n stilte is onmiskenbaar, het was

een bijzondere, gewatteerde stilte terwijl de sneeuw weer was gaan vallen, misschien was het de stilte van dagen dat het sneeuwt, misschien was een stukje van die stilte tot in de feestzaal doorgedrongen. Je had ook kunnen zeggen dat er een dominee voorbijkwam, maar daarvoor duurde het één ogenblik, één moment te kort. Want Marie-Jeanne herstelde zich direct, richtte zich op, verorberde de petitfour en barstte in lachen uit.

'Je maakt me aan het schrikken!'

Hij vertrok geen spier en gaf geen antwoord, want ze was al in gehinnik uitgebarsten.

'Ga je me om mijn hand vragen?'

Hierop barstte iedereen in lachen uit, dat wil zeggen: niet iedereen, alleen degenen die vlakbij stonden en het tafereeltje hadden meegemaakt en later, toen hij weg was, konden getuigen dat alles op dat moment bezegeld en afgelopen was. Omdat hij er helemaal niet om moest lachen. Hij keek naar Marie-Jeanne met haar stralende parelcollier op de forse, uitpuilende boezem, haar appelgroene jurk met rolkraag, haar geverfde haren met de muisgrijze en lila lokken erin en haar mond die lachte, die zo hard moest lachen; en nu was hij degene die verbaasd en verbluft was, niet zij. Maar hij stond niet te stotteren, hij zei geen woord toen hij zo tegenover haar stond terwijl zij stond te lachen en met haar ogen bijval zocht bij anderen, bij Jean-Claude, haar man, die erbij was komen staan toen hij zijn vrouw had gehoord en die nu met haar meelachte omdat hij een leuke echtgenoot wilde zijn, omdat hij dacht dat hij gevoel voor humor had, omdat hij opeens trots was en in zijn overmoed almaar herhaalde: 'Pas maar op, makker, ik hou je in de smiezen.'

Waarop andere stemmen overnamen: 'Hé, Houtvuur, poten thuis!'

'Wat een playboy, die Houtvuur!'

'Pas maar op, makker, ik hou je in de smiezen!'

Hij moest er niet om lachen, hij keek naar Jean-Claude, hoorde het gelach en wendde zich toen weer tot Marie-Jeanne, die zo hard lachte dat ze een paar kruimels tonijntoast op haar appelgroene jurk morste.

Met een snelle, maar onopvallende beweging sloot hij zijn mond, en misschien beet hij achter zijn dikke, geelgrijze snor wel op zijn lip. Maar dat was niet met zekerheid te zeggen. Dat stond niet vast. Want zijn gezicht was een pafferig rood masker waardoorheen twee vloeibare ogen staken, blauw met een grijze sluier ervoor als regenwater; die sluier, dat waren geen tranen, die sluier was niets, zoals Houtvuur zelf ook niets anders was dan een brok stilte dat zich terugtrok, dat zijn hand om het nachtblauwe doosje sloot.

Solange kwam aanlopen.

Nee, ik vergis me, ze draaide zich alleen maar om. Ja, zo ging het. Ze was er al. Ze stond vlak naast hem. Ze draaide zich alleen maar om. Tilde haar hand van het papieren tafellaken en haalde hem binnenboord. Ze draaide zich om. Deed een stap naar voren en zag opeens haar broer voor zich staan.

Ze zei niet meteen iets. Omdat ze niet direct doorhad dat hij naar haar toe was gekomen om haar een pakje te geven dat hij niet tegelijk met de andere cadeaus had gegeven. Alsof hij weer net anders moest zijn dan iedereen. Hij wilde altijd anders zijn dan de anderen. Maar misschien schrijf ik hem nu allemaal bedoelingen toe die hij niet had. Want misschien was het helemaal niet arrogant bedoeld, die hoogmoedige houding van hem, dat air van geruïneerde, ontgoochelde aristocraat. Misschien wilde hij zijn cadeau alleen op een intiemere, minder officiële wijze aan zijn zus geven dan ten overstaan van alle gasten, met hun keurende blikken en hun oordelen. Hij zou wel gedacht hebben, hij zou ervan uitgegaan zijn dat ze zijn cadeau strenger zouden beoordelen dan de andere – wat ook zo was – vanwege de vraag die eerst in sommige en daarna in alle geesten zou oprijzen: wat een kerel zoals hij die niets bezit in hemelsnaam cadeau zou kunnen doen.

Ze hoefden niet lang te wachten.

'Gefeliciteerd', zei hij. En zijn linkerhand met de dikke, roze, dorre vingers, gezwollen en kapot van de kou en al het werk dat hij zonder handschoenen deed, greep plotseling Solanges hand en bracht hem naar zijn andere hand. Alsof hij niet wilde dat iemand het zag.

Hij feliciteerde haar nogmaals met haar verjaardag, maar nu glimlachend en met zo'n zwakke, trillende stem dat niemand het echt hoorde, dat je het alleen maar vermoedde tussen de stemmen op de achtergrond, het geschreeuw van de spelende, rennende kinderen en het gekakel van de drie klappertandende oude vrouwen die even verderop op grijze plastic stoelen bij de verwarming zaten. Daarna stilte, en verbazing toen Solange haar blik op het doosje liet vallen dat niet alleen aan het formaat herkenbaar was, maar ook aan de gouden letters die de naam vormden van de familie Buchet, horlogemakers en juweliers sinds twee generaties.

Ze keek haar broer aan en durfde het doosje niet open te maken. Eerst verspreidde zich een uitdrukking van ongeloof over haar gezicht, die zich van al haar gelaatstrekken meester maakte en er langdurig sporen op naliet. En af en toe glimlachte ze, lachte ze zelfs haast als ze naar de anderen keek, naar degenen die dicht om haar heen waren komen staan of juist naar de anderen die verder weg stonden, zoals ik, achter een groepje mensen dat er als versteend bij stond, met stomheid geslagen, de glazen en sigaretten in de handen vergeten.

Nou Solange, maak eens open.

Ik geloof dat ze toen, op dat moment begreep wat er allemaal vooraf was gegaan aan het feit dat ze hier nu stonden, op het moment waarop ze het doosje met het sieraad in de hand hield – want daarover was geen twijfel mogelijk: er zat een sieraad in – en ze het niet open durfde te maken, niet omdat ze niet wist wat erin zat, maar vanwege de gevolgen, vanwege alle twijfels, risico's, ja, angsten zelfs, daar ben ik van overtuigd, daarvoor hoefde je maar te voelen, te horen, te zien hoe poreus en dicht tegelijk de stilte was die over de met sigarettenrook en mensenadem gevulde feestzaal was gevallen.

En hij, hij vroeg zich waarschijnlijk alleen af of zijn cadeau haar zou bevallen. Zijn hart zou enkel en alleen daarom bonken, terwijl overal om hem heen de verbazing losbarstte, de ergernis ook omdat ze zo lang moesten wachten terwijl ze dachten: dat kan toch niet! Ik droom. Een sieraad? Een sieraad? Hij kan toch geen sieraden cadeau doen, hoe kan hij nou sieraden vergeven? Doe dat doosje nou open, kijk nou wat erin zit, maar ze wil niet, want ze weet al wat het is, ze weet al wat er op het blauwe fluweel ligt, ze weet dat ze haar angst moet onderdrukken, net als datgene wat iedereen zich afvraagt behalve hij, want hij vraagt zich maar één ding af dat niets te betekenen heeft,

Vind je hem mooi?

Vind je hem mooi? De vraag ligt al op zijn lippen, dwaalt al door zijn mond, klaar om tevoorschijn te komen als een gemompel, een gebed, maar voorlopig is er alleen nog de gespannen aandacht waarmee hij in haar ogen kijkt, ogen waarin hij zo meteen niets anders meer dan angst en onbegrip zal lezen. En nog aarzelt ze. Doet ze alles om het moment uit te stellen. Om zich ervan af te maken, om het niet te hoeven doen. Het doosje niet te hoeven openmaken. Er niet in te hoeven kijken, alleen naar hem te glimlachen en glimlachjes rond te strooien. Ze sluit haar ogen en doet ze weer open. Haalt diep adem. Begint een paar keer iets te zeggen, brengt wat gegeneerde bedankjes uit die ze niet tot haar broer richt maar tot iedereen. Iedereen wacht tot ze iets gaat zeggen, tot er een einde komt aan dat geglimlach en die nietszeggende, holle woorden.

'Bernard, dat had toch niet gehoeven, ik snap het niet.'

En haar gezicht werd bleek, onder de make-up werd

haar huid eerst wit, daarna asgrauw, alsof al het bloed, al het leven, alle gedachten, elke mogelijkheid om hem te trotseren verdampte of uit haar wegstroomde, of zich anders terugtrok in de verste uithoeken van haar lichaam.

'Nou Solange, maak eens open.'

'Ja, ja, natuurlijk. Natuurlijk maak ik het open, ik moet het openmaken, wat stom van me. Gekke Bernard, stapelgek ben je. Toch? Ik bedoel, ik. Ik.'

En het omslagmoment in haar blik, toen ze het doosje openmaakte en de broche tevoorschijn kwam. Een grote broche van goud en parelmoer. Gepolijst goud bezet met diamanten en een bloemmotief van parelmoer.

'Ik twijfelde tussen deze en een scarabee die ik ook heel mooi vond', zei hij, alsof hij zijn keuze al bij voorbaat verdedigde en wilde verklaren. 'Je bent zo dol op broches, en ik dacht dat deze je wel zou bevallen.'

Ten antwoord knikte ze, en haar gezicht zag er gejaagd, haast paniekerig uit.

Het was voor iedereen duidelijk dat ze met haar blikken om zich heen naar steun zocht, kracht, energie om te antwoorden, een uitweg. Maar op alle gezichten lag dezelfde vraag: waar heeft hij dat van betaald?

Hoe kan dat, waar haalt hij het geld vandaan?

Hij had immers geen cent en leefde op de zak van anderen, van al diegenen die nu om hem heen stonden en van wie de blikken op en neer schoten tussen hem en de broche, tussen de broche en hem, en daarna tussen de broche en elkaar, allemaal blikken waarin dezelfde vraag lag, dezelfde verbazing, en al gauw dezelfde woede.

Solange bleef zwijgen; ze was ook ontroerd, niet alleen maar perplex of gechoqueerd of in de war, maar ook, en vooral, ontroerd, denk ik, ja, dat denk ik echt, hoewel ik op het moment zelf dacht dat ze bang was, een onbestemde, vage, ongrijpbare angst voelde die meer te maken had met wat er ging komen dan met het moment zelf waarop ze het nachtblauwe doosje in haar hand hield en ernaar keek zonder dat ze de broche eruit durfde te halen.

'Toe dan, Solange, doe hem dan op.'

'Ja, ja, natuurlijk.'

Ik was dichterbij gekomen, ik stond nu vlak naast hem. Ik rook zijn geur, een mengsel van zeep en te nadrukkelijke properheid die de huid kapot had gemaakt en huidschilfers had weggeschuurd. En de ondefinieerbare geur van vieze mensen, de zure en hardnekkige viesheid met een zoetige zweem van urine.

En ik zag hoe Solanges trillende vingers de broche pakten. Ze draaide een beetje weg om het doosje op het tafellaken te leggen. Ze haalde er de broche in de vorm van een laurierblad uit en keek er nog eens naar. Heel lang. Toen keek ze afwisselend naar haar broer en naar de broche. En daarna om zich heen, met een dwaas lachje, ze kirde bijna, om voor zichzelf te verbergen dat ze begon te blozen en ook een beetje stikte, dat de woorden stikten in de stomme verbazing die ze moest verbergen. Ze speldde de broche op, op de plaats waar eerst een andere gezeten had. Zo bleef ze staan. Ik moet je omhelzen, en toen strekte ze haar gezicht naar haar broer toe en kusten ze elkaar.

'Dus je vindt hem mooi. Vind je hem mooi?'

'Ja, natuurlijk vind ik hem mooi.'

Solange hakkelde, klonk steeds minder oprecht en overtuigd, alsof het er haar voornamelijk om ging dat ze hier zo gauw mogelijk vanaf was, dat iedereen naar huis ging, dat Houtvuur vertrok, dat hij nooit gekomen was, dat ze dit moment nooit meer hoefde mee te maken, dat ze die leugen achter zich kon laten, dat 'natuurlijk' waar ze zelf niet in geloofde, waar wij, de anderen, ook niet in geloofden, wij die om haar heen stonden als om een kampvuur, niet vanwege de warmte en het licht, maar omdat we werden aangetrokken door het geknetter van een klein drama, een anekdote die we konden doorvertellen, het verhaal van een berooide kerel die ten overstaan van iedereen die hem aalmoezen had gegeven een broche aan zijn zus gaf die zo duur was dat geen van de anderen het zich ooit zou kunnen veroorloven om zoiets aan iemand cadeau te doen.

En Solanges ogen zochten om zich heen naar een redding die niet kwam, omdat iedereen opeens een sigaret in zijn hand had die aangestoken of uitgedrukt moest worden, of een halfleeg glas dat bijgevuld of juist heel snel in één teug leeggedronken moest worden.

Want Solange hield vol, nog even. Haar stem werd nog niet door tranen verstikt, ze voelde zich alleen vreselijk, afgrijselijk ongemakkelijk, een gevoel in haar keel dat net zo hard groeide als het onbegrip in haar blik. En toen begon hij te lachen, ja, het begon als een lach, hij liet zijn handen in zijn zakken glijden, één hand kwam terug om zijn snor te strelen alsof hij hem plat wilde drukken, tegen zijn mond wilde plakken, en verdween daarna weer in zijn achterzak om er een pakje Gitanes uit te halen. En toen de timide manier waarop hij de vraag van zijn zus beantwoordde nog voor ze die gesteld had: 'Maak je er maar geen zorgen over.'

'Bernard, die broche heeft een fortuin gekost.'

'Maak je er nou geen zorgen over, zeg ik toch.'

'Hoe heb je hem betaald?'

'Vind je hem mooi?'

'Daar gaat het niet om.'

'Waar gaat het dan wel om?'

En dan plotseling – laten we het de emotie noemen. Allemaal gevoelens waartegen ze zich uit alle macht verzette en die een knoop in haar maag legden. Haar stem stokte en ze barstte uit in een iets te schel, volgens mij enigszins pathetisch gelach. En eigenlijk was niet alleen haar lach pathetisch. Ook de manier waarop ze hem uitbracht, want ze wist donders goed wat iedereen dacht, waar iedereen zich druk over maakte, nu alleen nog met blikken, stembuigingen en ellebogen, een hand op een arm, een gezicht dat voorzichtige twijfel uitdrukte, een veelbetekenend hoofdschudden, blikken, fronsende voorhoofden, opgetrokken wenkbrauwen, signalen en gebaren die iedereen maakte zodat de anderen het zouden merken.

Nicole keek me aan; ik begreep dat ze wilde ingrijpen, al wist ze niet precies wat ze moest doen, en ik ook niet.

En het ging nog even door.

De Uil, in een hoog dichtgeknoopte mantel met een stoffige, vale kraag van sabelbont, ging in de aanval: ze vroeg geen uitleg, nu nog niet, en Évelyne ook niet, maar ze kwamen wel als eersten dichterbij staan om te kijken, om alles beter te kunnen zien: Évelyne, een van de zussen, en een schoonzuster, de vrouw van Jean-Jacques (die zelf wat achteraf bij de keuken met Pingeot en Chefraoui stond te praten, en wie het misschien echt niets kon schelen). De twee vrouwen kwamen dichterbij, op de voet gevolgd door Marie-Jeanne. Solange keek me vanuit de verte aan. Ik kwam ook dichterbij. Nicole deed daarentegen een stap terug.

Ik bleef staan, liet mijn blikken rusten op de ruggen van degenen die dichterbij kwamen, die oprukten naar Solange zonder nog echt te durven zeggen of uitspreken wat hun waarschijnlijk op de lippen brandde, en even later kwam de rest ook, iedereen kwam dichterbij staan, iedereen wilde er uit eigenbelang vlak bovenop staan, broers, zussen, zwagers en schoonzusters, maar de vrienden, de bekenden, de toevallige gasten wier aanwezigheid niet zo belangrijk was niet – en ik zag Solange aarzelen terwijl ze haar handen naar de broche bracht en toen besloot om hem af te doen, met een of andere smoes of zomaar, gewoon zomaar, omdat hij niet bij haar jumper paste of omdat hij te mooi was, ja, veel te mooi voor zo'n trui, je bent niet wijs, Bernard, echt goud, waar haal je het geld vandaan.

Toen richtte de Uil zich tot Houtvuur met een dodelijke blik in haar ogen: 'Mooi is-ie zeker, en óf hij mooi is, dat kun je wel zeggen!'

En daarna Évelyne, bijna in tranen, met smekende, trillende stem: 'We hebben je altijd zo goed mogelijk geholpen, en nu dit ... hoe kun je dat nou doen?'

Toen hield hij op met glimlachen en richtte zich op: 'Hij is voor Solange. Hij is van Solange, en verder heeft niemand er iets mee te maken.'

Heel veel later, tegen het einde van de middag, zou Patou in de achterzaal van haar café met de politie en de burgemeester aan een tafeltje zitten en de ene sigaret na de andere opsteken, iets waarvan ze nooit had gedacht dat dat vanwege Houtvuur zou gebeuren, en vertellen hoe hij na de geschiedenis van de broche was binnengekomen.

Hij begreep er niks van, zei ze. Hij had het echt goed willen doen, had wekenlang over een cadeau nagedacht. Hij had er zelfs over gepraat, zei ze. Maar ze hadden hem gewoon laten praten, zoals altijd, en alleen af en toe instemmend gebromd, een vaag 'ja, ja' dat je jezelf niet eens hoorde zeggen.

Ja, Houtvuur. Een broche, ja. Zeker, Houtvuur, daar zal ze heel blij mee zijn, ja, heel goed, een broche voor je zus.

Ze had het gezegd terwijl ze glazen spoelde of de jongeren bij het biljart of arbeiders die kwamen schaften bediende, gewoon om zijn monoloog wat luister bij te zetten: 'Ja hoor, Houtvuur.'

Maar zonder echt te horen dat hij bij Buchet was geweest, bij de juwelier.

Meneer Buchet was in hoogsteigen persoon uit de afgeschoten werkplaats gekomen omdat zijn vrouw hem riep, meteen al, nog voordat Houtvuur de drempel over was, laat staan iets gezegd had, en stond te wachten tot de vorige klant had afgerekend en de winkel verliet.

Hij was een tijdlang blijven staan, glimlachend, pulkend aan zijn muts; hij moet er nogal dommig hebben uitgezien, of kinderlijk, ondanks zijn forse gestalte en zijn blik, gezicht en lichaam die te onbehouwen zijn om aan een kind te doen denken; zoals hij daar stond, in die pompoenkleurige trui vol gaten, kwam het beeld van kinderlijke verlegenheid en onbeholpenheid niet eens bij je op. Het kinderlijke zat hem vooral in de manier waarop hij de dikke bruine envelop uit de zak van zijn parka haalde, het rode elastiekje eraf deed en een pak bankbiljetten van tweehonderd franc op de toonbank legde.

De juwelier en zijn vrouw zouden dat wel aan de politie hebben verteld: de briefjes op de toonbank en de stem van Houtvuur: 'Voor een broche.'

De echtelieden zullen elkaar hebben aangekeken en woordeloos de taken hebben verdeeld: hij haalde de schatten uit hun doosjes en liet een paar zwarte of blauwe fluwelen dienbladen zien waarop de mooiste juwelen prijkten, neemt u gerust een kijkje, we hebben van alles, terwijl zijn vrouw vlug een van de biljetten door zo'n apparaat haalde waarmee ze kon controleren of zijn geld vals was of echt (dat geld dat hij, de armoedzaaier, de clochard, zomaar achteloos op de toonbank liet liggen) en het misschien zelfs ongelovig had betast en omgevouwen, nog maar eens onder de elektrische lamp had gelegd, om haar man daarna met een blik duidelijk te maken: in orde, geen probleem. Misschien heeft meneer Buchet ook wel melding gemaakt van Houtvuurs twijfel, hoelang hij aarzelde tussen twee broches totdat de gouden scarabee ten slotte afviel. Het duurde zo lang dat mevrouw Buchet wanhopig werd omdat ze wist dat de geur van dit soort mensen even lang blijft hangen als die van een natgeregende hond; waarschijnlijk vervloekte ze de gouden scarabee, en haar man erbij, die de twijfel eerder aanwakkerde dan dat hij hem aanmoedigde om de knoop nu maar eens door te hakken, kom, opschieten, genoeg nou, betalen en wegwezen met je broche en het restant van dat enorme pak geld, maar vooral met je vuil en je stank, met je vieze geur die ze pas na weken helemaal weg zou krijgen.

Het was donker: in december valt de nacht al aan het einde van de middag, of eigenlijk nog vóór het einde van de middag, heel vroeg en heel donker. Buiten zag ik de sneeuw in grote vlokken dansen, beurtelings blauw en oranje in het schijnsel van de kerstversieringen die de avenue over de hele lengte verlichtten.

Patou vertelde de politie, de burgemeester en mij dat ze vanzelfsprekend van dat geld had geweten.

Er waren geen klanten in de bar. Jean-Marc stond achter de toog. Soms stopte er een auto bij de deur waar iemand uit sprong aan de bijrijderskant die zich naar binnen haastte, groette en klaagde over het weer. Dan verkocht Jean-Marc een pakje sigaretten en reed de auto weer weg. Daarna kwam hij naar ons toe, vergezeld door de golf koude lucht die de klant bij het weggaan had binnengelaten. Hij zei niets. Af en toe knikte hij als Patou naar hem keek en om bijval vroeg, en ook hem hoorden we zeggen dat hij van het geld had geweten, dat Patou en hij het wisten omdat Houtvuur er zelf over had verteld, hij had een enorme geldtoevoer, daar had hij nooit een geheim van gemaakt wanneer hij zijn dieprode openstaande rekeningen contant betaalde met biljetten van honderd en tweehonderd franc – verfrommeld en een beetje vies waren ze, zei ze met nadruk, en ze hamerde erop dat het oude biljetten waren. Zo veel geld als er maar in zijn doodskist paste. Nee, niet zijn doodskist natuurlijk. Niet in de zijne, verbeterde ze zichzelf; en plotseling zei ik: 'Zijn moeder. Het geld is van zijn moeder.'

Het kwam zomaar in me op. Zijn moeder. Dat geld was niet uit de lucht komen vallen, maar hij was het gaan halen, ja, zo zat het, hij had het van zijn moeder gepikt toen Solange en Évelyne de Ouwe Vrouw drie maanden geleden hadden opgehaald om haar naar het bejaardenhuis te brengen. Toen de weinige dingen die ze mee wilde nemen nog niet waren opgehaald en – vooral – toen het huis nog moest worden afgesloten. Daar moet hij het vandaan hebben, hij was de enige die in de buurt van dat gehucht woonde, van wat er nog van over was, je was zo binnen en dan kon je zo lang rondneuzen als je wilde, de kasten leeghalen en zoeken naar het geld dat ze vast ergens verstopt had, in een schoenendoos of misschien in de achterkamer, in de schuur, in het betonnen hok waar vroeger de varkens geslacht werden.

Want er zijn genoeg verstopplaatsen. En misschien lag het gewoon onder haar bed, of tussen de planken in de kast.

Hij had het gevonden.

Dat was net iets voor hem, zijn eigen moeder bestelen om terug te krijgen wat hij aan haar dacht te zijn kwijtgeraakt, terwijl hij op de dag van haar vertrek van een afstandje zwijgend had staan toekijken hoe ze naar de oudjes vertrok, zonder de mogelijkheid van een terugkeer naar de plek waar ze altijd had gewoond, alsof hij nu de enige eigenaar was, de erfgenaam van een heel geslacht – het einde van een tijdperk, het einde van een stam, het einde van een einde – maar wel met een adelaarsblik, volkomen vastberaden en onwrikbaar, met des te meer vastberadenheid omdat die het gevolg was van eeuwenlange modder en landarbeid, en voor hem beslist ook van vernedering, van uitbuiting van hen allen door die kromme, in het zwart geklede vrouw die haar territorium, haar oude zieke huis en de tegenovergelegen schuur aan de overkant van de straat, scherp met haar fletsblauwe ogen in de gaten hield.

'Rabut?'

'Ja, sorry, ik zat aan zijn moeder te denken.'

'Hij mag jou niet zo.'

'Nee, dat geloof ik ook.'

En toen vertelden ze hoe Houtvuur hier was binnengelopen na het incident met de broche.

Ze hadden hem de straat zien oversteken zonder er acht op te slaan, aan het begin van de middag, zo rond een uur of half twee of iets later. Hij was de bar zwijgend binnengekomen en was niet bij de toog blijven staan, had er anders dan anders zelfs geen blik op geworpen. Hij was de eerste zaal door gelopen en was achterin gaan zitten, aan een tafeltje bij de muur en de jukebox. Patou was naar hem toe gegaan, verrast dat hij er nu al was. Hij zei dat hij honger had, en hij had geen antwoord gegeven toen ze vroeg waarom hij niet bleef lunchen met de anderen.

Ze vroeg zich af of hij eerst wat moest eten en drinken voordat zijn tong los zou komen en zijn ogen zich eindelijk zouden openen op zoek naar iemand om tegenaan te praten, of om desnoods alleen de zinnen uit te spreken die hem ongetwijfeld door het hoofd spookten en waarvan zij, toen ze even later toekeek hoe hij op zijn aardappels kauwde alsof het overgaar vlees was, kon vermoeden, raden, zien dat ze woest heen en weer flitsten.

Want hij had heel snel gegeten en gedronken.

Plotseling wilde hij vertellen wat hij op het hart had, dat loodzware hart van hem dat bijkans barstte in zijn borst, zoals hij zei toen hij begon; want, zei hij, het spat bijkans uiteen in mijn borst, en toen had hij zich nog eens ingeschonken en een paar gulzige slokken gedronken, zo groot dat je er met gemak een paar nesten jonge poesjes in kon verdrinken. Onder het praten kauwde hij door, hij nam grote happen brood en aardappel en haring; het kon hem niet schelen hoe hij eruitzag, het was alsof hij niet besefte, niet inzag, niet wist hoe vies, walgelijk en afstotelijk hij eruitzag als hij zo zat te schransen terwijl de olie van zijn mond en kin druppelde die glommen van het gladde, glibberige vocht. Maar een vreetzak of een monster was hij niet; hij was gewoon iemand die steeds meer woede in zich voelde opkomen, ter vervanging van het onbegrip en onrecht, de verachting en de haat waarvan hij zich het slachtoffer voelde.

Want stel je voor: vroeger was hij altijd goedgebekt en hautain geweest en toen was er een soort veer in hem te ver opgewonden, te strak aangedraaid, die nu was gesprongen, en daarvoor in de plaats smeulde er iets onbestemds in hem, dat je in het blauw van zijn ogen zag dansen als hij naar je keek, als je dacht dat hij je aankeek maar het nooit zeker wist, als je alleen maar dacht dat hij naar je keek vanwege die lichte onduidelijkheid, die starheid in zijn blik die niet verdween als hij met zijn ogen knipperde.

Hij zal Patou verteld hebben hoe verward hij was toen Solange de broche afdeed en hij zag hoe zijn andere broers en zussen om haar heen dromden, als de aaseters die ze waren, omdat ze geld roken, veel geld, alsof dat geld van hen was, alsof hij van hen was. Die sukkels, die arme stakkers die Parijs alleen maar kenden van plaatjes of televisie, die nooit iets anders hadden gezien dan rivier- en moeraswater, drabbig als stookolie, waar de koeien uit dronken toen zij nog kinderen waren.

Minachting. Ja, minachting voelde hij voor ze. Woede.

En Patou vertelde hoe ze af en toe opstond om een klant aan de bar of in de zaal te helpen, en dat hij dan bleef zwijgen en drinken, koffie, een borrel, wijn, nog een borrel, weer wat wijn, en dat hij voor zich uit mompelde en door de glazen deur loerde om te zien wie er allemaal uit de feestzaal kwamen, want het aperitief was achter de rug; de tafels zouden wel gedekt zijn en het eten werd vast al opgediend.

Toen was hij opgestaan. Hij was naar de toog gelopen, waarbij hij niet voor zich uit keek maar schuin opzij, naar buiten, naar de overkant, en niets anders zag dan de deur in de grote, geelgeverfde voorgevel. Daar keek hij naar. Onder het aansteken van een sigaret zei hij: 'Schenk nog maar 's bij. Rood.'

En vlak daarna: 'Ze stikten altijd al van jaloezie.'

En het ergste was dat ze nee zei toen de burgemeester opperde dat hij alles misschien van tevoren had uitgedacht: de provocatie, de hele mise-en-scène; nee, ik weet zeker van niet, ik garandeer het, hij was ervan overtuigd dat niemand er iets op aan te merken kon hebben.

Daarna vertelde ze zelfs dat ze bang was dat zij er misschien aan had bijgedragen dat hij zo enorm woedend was geworden. Goed, hij was al dicht bij een uitbarsting geweest, alle drank die hij al ophad en die nog beter naar binnen ging nu hij zich achter elkaar alles tegen haar hoorde zeggen wat hij op zijn lever had, hoe hij de vernedering waarvan zij geen getuige was geweest van zich af praatte, van Solange die de broche afdeed en hoe zijn broers en zussen – toegegeven, niet allemaal, maar ze vormden wel de binnenste kring – met een stel anderen om hen heen waren gaan staan, ja, want er waren ook anderen die er met hun neus bovenop stonden, die wilden zien en horen wat voor verwijten ze hem gingen maken, zoals zijn jongste zus Évelyne bijvoorbeeld, die jammerde en snikte: 'Na alles wat we voor je gedaan hebben!'

En wie zal er over de Oude Vrouw begonnen zijn? Wie zal gezegd hebben: de moeder.

'Je hebt de Oude Vrouw bestolen.'

En Solange, ademloos: 'Nou is het genoeg.'

En nog eens: 'Koppen dicht!'

En hij was teruggedeinsd zonder iets te zeggen. Hij had ze laten praten. Had ze laten begaan, zoals altijd. Zoals elke keer dat er een storm opstak. Mot, dacht hij, het wordt mot. Dat had hij gedacht, maar hij had het niet gezegd, nog niet, hij deinsde alleen terug, en met zijn handen in zijn zakken baande, boorde hij zich een weg door alle blikken en lijven om hem heen, vijandig of alleen maar dom, domme lijven die niets wilden missen; hij liep weg en eenmaal buiten stak hij snel de straat over om hier bij Patou dekking te zoeken.

Ze keek even naar Jean-Marc toen de politie zei dat er iets ernstigs was gebeurd. Ze had geprobeerd te glimlachen en nog een glas wijn in te schenken. En alsof ze het gesprek op iets anders wilde brengen vroeg ze mij: 'Zeg, Rabut, ik wil je al heel lang iets vragen: waarom noemt hij je altijd studiebol? Zit daar een verhaal achter?'

Ik zag dat haar hand trilde toen ze de glazen volschonk. Ik glimlachte alleen: ja, er zit een verhaal achter. Niets bijzonders, iets tussen hem en mij. Ik wilde doorleren en hij vond dat belachelijk: het idee dat je eindexamen wilde doen! Eindexamen, en dat in die tijd! En dan nog wel hier, in deze familie, ik, een neef van hem! Ondenkbaar. Het diploma heb ik natuurlijk ook niet gehaald. Daar heb ik nooit de kans voor gehad. Maar hij bleef het lollig vinden dat ik er zelfs maar aan dacht.

Tegen Patou zei ik alleen: 'Een grap tussen ons tweeen.'

Ze ging er niet op door, ze had het alleen maar gevraagd om iets te zeggen. Omdat haar nog steeds dezelfde gedachte door het hoofd maalde, een gedachte die voortaan altijd in haar op zou komen als ze aan deze dag terugdacht: dat ze zijn haat had aangewakkerd door hem erop te wijzen dat zijn gedrag heel provocerend kon worden opgevat op een moment dat niemand zich zo veel naïviteit kon voorstellen, vooral zijn broers en zussen niet.

Dat had ze hem duidelijk willen maken. Ze wilde dat hij hun verbazing begreep en de gedachte die daarop volgde, namelijk dat hij het geld van zijn moeder zou hebben gestolen, terwijl ze juist toen de kwestie van de kosten van het verzorgingshuis ter sprake kwam afgesproken hadden dat ze allemaal wat méér zouden betalen zodat hij niets hoefde bij te dragen. En drie maanden later gooide hij het geld – hun geld – over de balk – hún balk – en nog wel waar ze bij stonden!

Dát had hij misdaan.

'Houtvuur, je moet ze begrijpen. Op een enkele uitzondering na hebben ze het niet breed.'

Hij had niets teruggezegd, was naar buiten gelopen. Patous stem bleef in de leegte hangen, zoals onzichtbare chemische deeltjes langzaam uiteenvallen en snel oplossen in de lege lucht en de blauwe hemel. Ze keken hem na door de glazen deur. Net als anders spuugde hij op de stoep toen hij wankelend wegliep en overstak, nog beschonkener dan ze gedacht hadden. Angstaanjagender ook. Want op dat moment zullen ze al wel wat angst hebben gevoeld. Meer dan ze ons – dat wil zeggen de politie, de burgemeester en mij – drie uur later toevertrouwden.

Maar ze zullen wel gedacht hebben: Houtvuur is Houtvuur, hij is dronken, dat is nou eenmaal zo, dat is altijd zo, punt uit.

Dus toen hij binnenkwam, of liever gezegd: niet precies op het moment dat hij over de drempel stapte, maar toen iedereen het begreep, het doorhad, het inzag, toen viel er een bepaalde stilte, een sidderende stilte met hier en daar gelach, ook al waren er ook mensen die niets gezien hadden en gewoon doorgingen met wat ze deden en zeiden.

Solange was niet in de zaal, maar in de keuken. Houtvuur wankelde vastbesloten op ons af. Hij was nu beslist stomdronken en hij keerde terug als een alcoholist die denkt dat hij de boel kan komen uitleggen terwijl hij eigenlijk juist zijn eigen en andermans gedachten vertroebelt. Ik zag dat de Uil Jean-Jacques een por gaf, ze was natuurlijk gechoqueerd dat haar zwager het waagde om terug te komen, en Jean-Jacques mompelde aarzelend: 'Wat wil je dat ik eraan doe?'

Toen stond Évelyne op. Ze liep snel weg, zonder iemand aan te kijken, met gebogen hoofd; haar naaldhakken klikklakten op de houten vloer en om zich een houding te geven trok ze met beide handen aan haar jumper met de vreemde kleur van meloensap of zalm, terwijl ze langs het podium naar de keuken liep om Solange te waarschuwen.

Maar hij was al bij ons.

Hij bleef midden in de zaal staan – nee, niet in het midden, maar dicht bij het podium, in het midden van de drie lange tafels die een U vormden – en zo bleef hij een paar minuten staan, hij deed zijn uiterste best om rechtop te blijven, met gebogen of beter gezegd gespreide benen en een starende, transparante, verre, minachtende blik, alsof hij ons uitdaagde, alsof hij verwachtte dat wij antwoord zouden geven op vragen die al sinds mensenheugenis in de lucht hingen. En natuurlijk keek iedereen naar hem. Natuurlijk klonk hier en daar gemompel. Iedereen zat naar hem te kijken terwijl ze van hun wijn nipten, zich nog eens inschonken of juist hun glas in één keer achteroversloegen. Er klonk gelach.

Zachte stemmen, gefluister.

Hij wil aandacht trekken.

Hij moet oppassen dat hij niet omverlazert!

Let maar niet op hem. Laat hem maar.

En ze gaven elkaar peper of zout aan, water of wijn. Ze veegden hun handen af aan papieren servetjes. Anderen wierpen steelse blikken op hem terwijl ze op hun brood kauwden. Niet op hem letten. Houtvuur wil gewoon aandacht. Niet naar hem kijken. Nicole vroeg: 'Waar blijft Solange nou?'

De Uil die het niet uithield op haar stoel. En de stemmen van de oude vrouwen aan het eind van de tafel. Van een broer die bijna nooit een mond opendeed, die op het land woonde, waar hij zijn dagen sleet met het poten van bieten en maïs maar die nu opeens brulde: 'Nu is het genoeg. Houtvuur, zitten jij!'

En hij zwalkte nauwelijks, hij beefde alleen, deinde op zijn voeten alsof hij danste, een kleine beweging over de voetzolen, van voren naar achteren, met nog altijd een minachtende blik. Hij keek naar zijn broer, degene die iets geroepen had, maar hij zei niets terug. Alsof die stem voordat hij hem bereikte door nog een ander filter ging dan die van het gehoor en het begrip. Dan een aarzeling; zijn borst, nek en hoofd strekten zich, ja, zei hij, eerst zo zachtjes dat je het nauwelijks uitgesproken gestamel niet zou begrijpen als je het hem niet al eerder had horen zeggen, mompelen, herhalen, zoals dronkaards nou eenmaal altijd dezelfde woorden en obsessies herhalen.

Het begon met verhaspelde of beter gezegd halfingeslikte, onduidelijke woorden, een stortvloed zonder scherpte, zonder medeklinkers en klinkers die herkenbare klanken vormden, maar we wisten, ik wist wat hij wilde zeggen, omdat we die onsamenhangende litanieën al vaker gehoord hadden, altijd al – nee, niet altijd: 'Kijk, ze praten tegen me, nou, nou, ze praten tegen me, ja, er zullen daar wel mensen zijn, ze zullen er allemaal wel zijn, o nee, niet de doden, de doden zijn niet van de partij, de doden zijn er niet, dat scheelt weer, dat scheelt echt, tja, de doden, nou, oké, Reine en de dode kinderen zijn er niet, jammer, die kleine doden waren de enigen die er echt toe deden, ja toch, en mijn zus, Solange, waar is mijn zus?'

Zijn stem zweeg opeens en loste op in een blik vol minachting in mijn richting.

'Hee, studiebol. Met z'n studiebolleke.'

Een lach of iets wat erop leek, een hik, een snel onderdrukt gegiechel, daarna stilte.

En daarna klonk zijn stem heel hard; het kwam van diep van binnen, misschien om ons bang te maken, maar vooral om Solange te bereiken, die er nog steeds niet was, wat deed Solange nou in de keuken, 'het is haar feest en zij staat maar in de keuken, schamen jullie je niet dat je haar alles in de keuken laat doen, stelletje nietsnutten, nou, studiebol, wat heb jij daarop te zeggen?'

Hij praatte steeds luider, zijn stem trilde maar stokte niet, helemaal niet, hij stokte geen seconde, terwijl hij zich vastklampte aan de lettergrepen van de naam van zijn zuster en er kracht uit putte, energie in vond om door te gaan en zijn gebroken maar toch krachtige stem weer de baas te worden, alsof hij hem met zijn handen, zijn blote handen vastgreep: 'Solange, waar is Solange?'

Ze was nog steeds niet terug, ze liet op zich wachten, en toen ze er eindelijk was, toen ze bij ons terugkwam met Pingeot en Chefraoui, de een met wijn in zijn handen en de ander met geroosterd vlees op een roestvrijstalen schaal, liep Bernard naar de keukendeur. Langzaam, met vaste tred. Chefraoui met de roestvrijstalen schaal. De schalen die Solange en hij hadden geleend uit de schoolkantine waar ze al jarenlang samenwerkten om de kinderen het eten op te dienen.

En toen.

Omdat Chefraoui opeens voor hem stond, in zijn blikveld verscheen. Als een onmogelijk beeld dat de werkelijkheid geweld aandoet. Chefraoui glimlachte of hij glimlachte niet, wat doet het ertoe. Dat kun je niet zeggen. We weten het al. We weten het de hele tijd al. Ik bedoel, sinds, sinds – die tijd die anders was dan nu. Zoiets, denk ik, sluipt opeens naar binnen, maakt de tijd waarin dit gebeurt wazig en ís er dan opeens, als een rekening die vereffend moet worden na minstens veertig jaar, een mensenleven dat ons aankijkt en dat zegt: nee, het is niet voorbij, we dachten misschien dat het voorbij was maar dat was niet zo.

En dan de stem van Houtvuur, heel luid, tegen Solange: 'En hij, hij mag wel komen? Hij heeft wel het recht om hier te zijn ... Hij heeft het recht wel en ik, maar ik ...'

Solange liet de dingen die ze in haar handen hield op tafel vallen, je hoorde de klap waarmee het roestvrij staal op de dikke plank terechtkwam, die ervan trilde op zijn schragen.

'Bernard, hou op.'

'Hij mag hier wel zijn, hè, hij wel, die ...'

'Hou op.'

'Die soepjurk ...'

Solange liet hem niet uitspreken, ze sprong op hem af en brulde zijn naam: 'Bernard, Bernard, hou onmiddellijk op, ga weg, ga nu weg, hoor je me?'

De tranen stonden haar in de ogen en haar stem brak, en Chefraoui stond daar maar, sprakeloos, zonder iets te zeggen, en zij wendde zich tot hem, beschaamd en van streek: 'Saïd, let er maar niet op, het is niks.'

Chefraoui gaf geen antwoord. Hij zette alleen de schaal op tafel, gaf het bestek aan de dichtstbijzijnde gast zodat die kon opscheppen, en verder niets.

Hij gaf geen krimp, zijn gezicht bleef onbewogen, uitdrukkingsloos.

En heel even leek het erop dat het hier inderdaad bij zou blijven, dat Houtvuur de aftocht zou blazen. Maar zijn lichaam helde voorover en zijn gespreide armen strekten zich ver naar voren, met de handen nog niet tot vuisten gebald maar juist open, als uitgehongerde dieren, iets waarover hij geen enkele zeggenschap had, waarvoor hij zelf bang was toen hij zag hoe onbelemmerd en krachtdadig ze tekeergingen, zich uitstrekten naar de verbaasde Chefraoui, die een beetje terugdeinsde, je kon zijn irritatie en woede zien, hij deinsde nog verder terug, nu niet een beetje maar bijna wel een meter, uit afkeer leek het, alsof hij niet door Bernards handen wilde worden aangeraakt, zo'n walgelijke kerel die tot onder zijn zwarte nagels naar as rook, naar houtvuur – het was toch ongelooflijk dat je zo naar een houtvuur kon stinken – en al dat vuil, die nagels, die felroze stukjes opengehaalde huid, die stank die vooralsnog erger leek dan de beweging van die grijpende handen. Maar ook de blik. En het vooroverhellende lichaam.

En zijn woorden.

'Soepjurk. Dat heb ik je al jaren willen zeggen. Ik wil je al jaren op je bek slaan, soepjurk.'

'Ophouden!'

'Ophouden!'

Hij luisterde nu naar niemand meer. Solange ging plotseling tussen de twee mannen in staan en duwde Houtvuur weg zonder zelfs maar na te denken: 'Oké, zo is het genoeg, Bernard. Ga weg, ga alsjeblieft weg. Rabut, help me eens.'

En achter haar stem klonken andere stemmen, van vrouwen en mannen, broers en neven, heel veel stemmen waarvan je het timbre, de intonatie en het accent door en door kende, die over de tafels heen vlogen om te sussen, te kalmeren, te relativeren: 'Hé, Houtvuur, hou eens op met dat gelazer, er zijn hier geen soepjurken,

Bij ons, hoor je dat, Houtvuur,

Houtvuur,

En jij bent zelf toch ook niet altijd zo afkerig geweest van soepjurken.'

Hij leek opeens wakker te worden, wendde zich af van zijn doelwit om uit te vinden wie dat gezegd had.

'Wie zei dat?'

En terwijl hij zijn hoofd draaide, vroeg hij het nog eens: 'Wie zei dat?

Pieds-noirs zijn geen soepjurken, dat zijn Fransen die in Algerije woonden.'

Het duurde een seconde. En in die seconde hing er een vreemde stilte, als de schroom die iedereen bevangt als er een naakt lichaam wordt onthuld: de trillende stem van Houtvuur en het beeld van de vrouw die hij in een ver verleden bemind had, toen Bernard nog niet door Houtvuur van zijn plaats was gedrongen.

Het duurde hooguit een seconde.

Hij aarzelde nog een seconde, probeerde weer op adem te komen, keek om zich heen, zocht iets om tegenaan te leunen en wankelde als een alcoholicus die nadenkt en in zijn hoofd nog meer wankelt dan in zijn lichaam: een moment van zweven, van inkeer, van terugkeer tot zichzelf misschien. En toen stond daar opeens Solange voor hem, met het nachtblauwe doosje in haar hand.

'Neem dit mee en donder op.'

'Nee.'

'Pak aan, Bernard, neem mee, ik wil je niet meer zien.'

Hij dacht nog even dat ze een grapje maakte. Even durfde hij te geloven dat ze niet zover zou gaan om hem weg te sturen. En toch eiste ze dat van hem. Chefraoui bewoog zich niet. Hij stond een beetje achteraf. Ik deed een paar stappen naar ze toe. Nicole ook. De anderen ook. Jean-Jacques en de Uil. Évelyne stond al te huilen.

Toen keek Houtvuur naar het nachtblauwe doosje waarmee Solange voor zijn neus stond te zwaaien en hij pakte het aan, nam het terug, eens en voor altijd, hij zou het laten verdwijnen zodat ze het konden vergeten en het er nooit, maar dan ook nooit meer over hoefden te hebben.

'En het geld. Vertel op, waar heb je dat vandaan?'

Dat schreeuwde de Uil, ja, precies op het moment waarop iedereen alleen nog maar wachtte tot Houtvuur weg zou gaan. Want je kon merken dat hij geen grip meer had, dat de grond onder zijn voeten was verdwenen, dat de dijken in hem het eindelijk begaven zodat zijn agressiviteit en vechtlust konden wegstromen. Maar toen klonk de stem van de Uil. En degenen die tot nu toe hadden gezwegen en de kwestie van het geld en de broche erger vonden dan het schandaal van de scheldpartij, deden nu ook een duit in het zakje, ze verhieven hun stem en eisten een antwoord: 'Houtvuur, waar heb je dat geld gepikt, waar komt het vandaan, van wie heb je dat? Geef antwoord, je moet het zeggen, dat moet.'

En hij gaf geen antwoord.

'Van wie is dat geld?'

Hij keek naar zijn zus.

'Geef antwoord.'

Hij keek naar het nachtblauwe doosje.

'Zeg op.'

Hij keek, met een lege, transparante blik waarmee hij alleen de woestijn van zijn eigen eenzaamheid zag. Een ogenblik lang stond hij als versteend te zwijgen, daarna keek hij ieder afzonderlijk met opgeheven hoofd aan, de kin fier omhoog, alsof hij iedereen apart antwoord gaf, een antwoord dat bestond uit louter minachting.

In een snelle beweging strekte hij zijn arm uit en greep het eerste wat binnen handbereik was, een glas wijn, bijna vol, dat hij vastgreep en voor zich uit gooide, alleen de inhoud dan, want de steel hield hij aanvankelijk nog vast, maar daarna wierp hij het glas naar de andere hoek, en natuurlijk brak het glas – maar het geluid van het uiteenspattende glas was niets vergeleken bij alle luide stemmen die losbarstten terwijl iedereen opsprong en zag hoe de wijn in vlekken uiteenspatte op Chefraoui en ook op Solanges strogeel-met-wit gevlamde jumper.

Daarna ging alles heel snel. De mannen wierpen zich boven op hem.

Solange was een ogenblik totaal uit het veld geslagen, ze stond moederziel alleen te midden van al haar gasten, een paar minuten lang voelde ze zich verloren en onthutst, totdat ze ons zag, mij (ik stond een beetje achteraf, want mijn lijf weigerde naar voren te lopen en een hand tegen Houtvuur op te heffen, dat kon ik niet, echt niet) en nog een paar mensen, neven en vrienden. Solanges gezicht was bleek en haar ogen stonden vol tranen, ze stond daar verslagen, met haar verwoeste uiterlijk en haar jumper vol vlekken, ze moest zich omkleden, even alleen zijn en misschien wat huilen en er het beste van maken, de boel weer op gang krijgen, terugkeren op het feest en ondanks alles doorgaan, ondanks alles, ondanks dat vreselijke moment waarop ze zag hoe ze allemaal om Houtvuur heen dromden en hem er met geweld uit werkten, hij die zich verzette terwijl ze zonder te schreeuwen, zonder een woord te zeggen aan hem sjorden, struikelend aan zijn armen en zijn jasje trokken, terwijl hij zich uit alle macht verzette en een paar rake klappen uitdeelde, en niemand durfde terug te slaan, hij was te sterk, te koppig, ze wisten dat hij nooit iets vergat, dat hij zich precies zou herinneren wie welke klap had uitgedeeld, en ze waren bang voor hem, ze zetten hem eruit, gooiden hem eruit en deden de deur achter hem dicht zodat hij helemaal alleen in het portaal lag, met zijn kwade kop, zijn dikke lijf en zijn stierennek, nog steeds zwijgend, minachtend tot het bittere einde, totdat hij daar in het portaal opstond en ons zwijgend en onbeweeglijk aankeek.

Toen ging hij weg.

Daarna was alles een tijdje onzeker, Solange bleef ruim een half uur weg. Toen een gedeelte van de maaltijd zonder haar. Uiteindelijk haar terugkomst en het vertrek van Chefraoui en Pingeot.

En toen, tegen het einde van de middag, dat wil dus zeggen aan het begin van de avond, kwamen zij.

Het was al donker en het was ook weer gaan sneeuwen, nog harder zelfs dan het in de laatste vierentwintig uur had gedaan. De burgemeester en de gendarmes kwamen voor mij. Voor mij, in de eerste plaats omdat ik in de gemeenteraad zit en ook omdat ik lid ben van de Vereniging van Noord-Afrikaveteranen, omdat ik iedereen ken, Chefraoui en de hele reutemeteut, en vooral omdat Houtvuur een neef van me is.

Tja. Stel je voor. Zij zeiden dat ze het heel vervelend vonden om een familiefeest te verstoren en vroegen om ze, zoals ze zeiden, helemaal te laten uitpraten en van hen te willen aannemen dat het zo –

Nee, ik moet het niet op deze manier vertellen. Zo kwam het niet op me over, zo ervoer ik het niet toen de burgemeester voorstelde om even naar de keuken te gaan om te praten.

En dan iets te zeggen.

Te zeggen dat ik het snap, ja, Houtvuur op zijn Mobylette, woedend, dronken en misschien ook helder en agressief, getergd door de kou en de sneeuw die in zijn gezicht beten, op weg naar huis, afremmend toen hij in de verte aan de andere kant van de velden tegen de helling van La Migne de drie of vier nieuwbouwhuizen zag liggen, waaronder dat van Chefraoui.

Te zeggen ja, meneer de burgemeester, zo moet het gegaan zijn.

Ik zie het witte landschap – nou ja, wit, eerder grauw, vuilwit als oud brood, vormeloos, met huisjes die wegzinken in de weke, dikke lucht en daaronder de velden, de bossen breekbaar en zo hard als marmer, een met wit bedekte langwerpige driehoek van aangestampte aarde die omhoogloopt tot aan La Migne, en onderaan het huis van de Oude Vrouw, grauwe vieze rook die uit de schoorstenen omhoogkringelt naar de stofvrije wolken, en hij daar in de kou, vuurrood, bijna paars, met sneeuw op zijn schouders, zijn helm, de Mobylette, alles, en zijn blik die een ogenblik strak de andere kant op kijkt. Dat moest ik me voorstellen. Dat vroegen ze me te zien. Houtvuur, aarzelend. En ik denk: hij bracht zijn Mobylette tot stilstand en gedurende een fractie van een seconde, een handvol in de lucht geworpen seconden, voelde hij vaag de aanvechting om wraak te nemen; ja, dat wilden de burgemeester en de gendarmes me laten denken.

Ik zei: 'Moment, moment. Ik probeer het te begrijpen. Begint u nog eens bij het begin. Is dat wat u denkt? Dat hij omgedraaid is en naar Chefraoui is gereden? Zomaar, in een opwelling? Welnee.'

'Zo is het gegaan.'

'Welnee.'

'Ik zeg het u.'

'Hij is wel gek, maar zo gek niet.'

En ze vertelden me dat hij zijn Mobylette had gekeerd en terug naar de driesprong was gereden, hij was gezien vanuit het huis van Rondot, u weet wel, Rondot die altijd voor het raam zit heeft hem midden op de weg zien rijden, daarboven, op weg naar huis in de dichte sneeuw, en hem toen midden op de weg zomaar, zonder enige reden, zien stoppen en keren en weer naar beneden rijden, ja precies, langs zijn huis, niet terug naar het dorp maar juist de andere kant op, richting de nieuwbouwhuizen. Rondot zag hem langskomen, even aarzelen, omkeren en kijken of er soms iemand aankwam. Het past allemaal. En dan wat er vanmiddag hier gebeurd is, Rabut ...

'Wat bedoel je?'
'Iets over een sieraad, of zo.'
'Van wie hebt u dat?'
'Van Chefraoui. Kom op, Rabut, je gaat toch niet ...'
'Nee, heus niet, maar wacht nou 's.'

'Waarop?'

'Wat er gebeurd is,' zei Ménard, het hoofd van de gendarme, 'is dat Chefraoui tegen het eind van de middag naar het bureau toe kwam.'

Hij vertelde dat hij zelf, toen hij op het politiebureau aankwam, Chefraoui op een stoel bij de balie zag zitten met de handen op zijn knieën.

Jamain zat een of ander rapport te typen, alsof hij het doodnormaal vond dat er in een dorp van vierduizend inwoners iemand naar het politiebureau kwam die volkomen onthutst en van streek was en zelf nauwelijks geloofde wat hij had meegemaakt en wat hij kwam vertellen.

Dat hij hem daar zo kalm of beter gezegd dociel had zien zitten, hem zo gelaten steeds maar weer had horen zeggen en herhalen dat als hij zijn dochtertje niet beloofd had om vroeg thuis te zijn voor de verjaarstaart, dat er dan god-weet-wat had kunnen gebeuren, terwijl die ander maar doorging met het tikken van een onnozel proces-verbaal dat best had kunnen wachten, ja, had móéten wachten, dat alles was op dat moment onverdraaglijk voor Ménard; daarom was hij woedend op Jamain, en misschien ook wel een beetje op Chefraoui. En net toen Ménard aan Jamain vroeg of hij de gegevens van Chefraoui genoteerd had, of hem misschien een glas water of een kop koffie of iets anders had aangeboden, of hij alles gedaan had wat in zo'n geval gebruikelijk was (terwijl Ménard zich ondertussen zat op te winden dat zijn ondergeschikte nogal de tijd had genomen om hem te 'storen', zoals hij gezegd had: 'Neemt u me niet kwalijk dat ik u tijdens de pauze stoor, chef, maar er zit hier een zekere' enzovoort), stond Chefraoui op en liep naar Ménard toe om zich te verontschuldigen dat hij hem op zaterdag stoorde. Ja, zich te verontschuldigen, op zo'n moment.

Kalme Chefraoui.

De stem van Chefraoui die me vroeg om mee te komen. Nu direct. Mee te komen, vertelde Ménard, omdat die gek moest worden tegengehouden.

En ze moesten die woorden proberen te begrijpen, die hij alleen uitsprak om de angst te bezweren; niet omdat Ménard, met zijn bakkebaardjes, zijn ietwat holle wangen en zijn stekeltjeshaar, een en al hoofd van de gendarme, met zijn rang, zijn wapenspreuk, zijn republiek en zijn cellen die nooit ergens anders toe hadden gediend dan om een stelletje zuiplappen die te veel gedronken hadden om nog naar huis te rollen te laten ontnuchteren of wat jongelui in onder te brengen die betrapt waren toen ze de voordeur van een zomerhuisje dat verboden was voor onbevoegden probeerden open te krijgen – niet dus omdat Ménard hem een antwoord zou kunnen geven, iets zou kunnen doen aan die angst waarvan Chefraoui wist dat die hem aan was te zien als een masker dat zijn gezicht had vervangen.

'Wacht even, ik begrijp het niet.'

'Wat begrijp je niet, Rabut?'

'U zegt dat Houtvuur.'

'Chefraoui heeft verteld wat er vanmiddag is gebeurd. Hoeveel uw neef gedronken had, het schandaal dat hij veroorzaakt heeft. We willen weten of u dat kunt bevestigen.'

'Ja, wacht, dat kan ik wel bevestigen. Dat wel. U wilt dat ik. Dat ik zeg. Dat ik bevestig wat er, wat er hier gebeurd is, ja, dat wel. Maar over dat andere gaan we het niet hebben, niet hier, dat kan niet, we gaan toch niet. Nee.'

Ik stelde voor om verder te praten bij Patou. Daar gingen we naartoe en we praatten er verder. We bestelden koffie, Patou en Jean-Marc durfden niet te vragen waarom we op dat uur met ons vieren kwamen – de twee gendarmes, de burgemeester en ik, ongerust, en vermoedelijk met angstaanjagende koppen.

Pas later, toen we hadden bepaald wat ons te doen stond, vroegen we Patou om bij ons te komen zitten. Maar tot die tijd spraken we zachtjes, fluisterend haast. Zij spraken, ik luisterde. Ménard over hoe ze zich met de politieauto ter plekke hadden begeven. In zijn stem klonken nog vaag de irritatie en ingehouden woede jegens Chefraoui door die, merkwaardig genoeg, niet zo goed had meegewerkt, omdat hij zo enorm bescheiden was, zich muisstil hield, en niets zei behalve steeds opnieuw wat een geluk het was, wat een geluk dat zijn dochtertje jarig was omdat hij anders nooit zo vroeg thuis was geweest.

'En ik', zei Ménard, 'zat me in de auto over hem op te

winden, ik zei dat hij moest praten, vertellen, maar hij mompelde alleen, alsof hij bang was voor wat hij zei.'

'Ik rende, ik probeerde hem tegen te houden.

Er was bloed, ik heb bloed gezien.'

En Ménard moest wel vertellen hoe de stank van Houtvuur hem toen hij naar binnen ging al bij de voordeur op de keel sloeg. Je kon hem nog ruiken. De vieze geur was zo sterk dat hij, toen hij weer buiten stond en niet wist wat hij moest zeggen, aan Chefraoui vroeg wat voor verwarming hij had. De aangesprokene had niet meteen geantwoord en ten slotte alleen gezegd: 'Dat is zijn lijfgeur.'

En Ménard vertelde. Zijn stem zei niet wat hij zelf had gezien, maar wat Chefraoui aantrof toen hij terugkwam van het feest. Hij vertelde hoe Chefraoui zijn terrein op reed, voorzichtig omdat de opening van het hek niet zo breed was, vooral niet als er sneeuw lag. En dat hij achter de thujahaag, achter het witte hek dat wegviel tegen het wit van de sneeuw, de binnenplaats zag die ook wit was, en helemaal achterin, bijna liggend tegen de onderkant van de trap, Houtvuurs Mobylette.

Chefraoui had even geaarzeld, niet met uitstappen – dat zal hij juist wel snel gedaan hebben omdat hij die Mobylette daar niet verwacht had. Hij had geaarzeld wat hij het beste kon doen, hoe hij nu moest handelen: naar binnen rennen, zich op Houtvuur werpen, hem onverwachts bespringen en gewoon met al zijn kracht op hem neerkomen, met rug en armen gespannen, zich over de dronkaard heen buigen en hem zonder een woord te zeggen bij de kraag grijpen, naar de deur slepen en eruit gooien, ook al zou hij dan van de trap vallen en zijn hoofd en botten breken of anders helemaal naar beneden rollen tot op de binnenplaats, waar de sneeuw hem wel weer bij zijn positieven zou brengen en hem zou ontnuchteren of juist zou doden, hij moest er niet bij stilstaan dat Houtvuur zich misschien zou verzetten, dat hij sterk was, zelfs als hij dronken was, maar als je hem verraste misschien niet – óf daarentegen juist voorzichtig en argwanend te werk gaan.

Maar vooral niet aan iets ergers denken, had Chefraoui zichzelf vast ter geruststelling voorgehouden, het is vervelend, meer niet; het mocht en kon niet meer zijn dan dat.

De Mobylette, die Bernard niet de moeite had genomen op de staander te zetten, die omgevallen was, die Chefraoui op een van de zijtassen zag liggen met wielen die niet meer ronddraaiden maar tot rust waren gekomen, en de sneeuw die ze al bedekt had met een dun laagje korrelige, overmatig witte confetti in allerlei vormen: het waren allemaal slechts tekenen van door drank veroorzaakte haast en onhandigheid, niets anders, niet meer dan dat; niet de blinde actie, verbetenheid en vastberadenheid van een man die weet wat hij wil en zijn klus snel, zonder enige terughoudendheid klaart.

Toen ging Chefraoui zijn huis binnen, niet zoals anders via het souterrain, maar voorlangs, via de trap, dat wil zeggen zoals de ander vermoedelijk ook had gedaan, hij nam dezelfde weg, en op het moment dat

Chefraoui de trap op liep die Houtvuur vóór hem op was gelopen, kwam de angst over hem, met elke tree een tandje meer, totdat het bloed in zijn hoofd en zelfs de vreemde hitte van de angst botsten op de koude buitenlucht, totdat hij zijn hand op de deurknop legde.

Een hart dat klopte, bonkte, beukte, en dan stilte. Vertelde hij. Die stilte. Het moment waarop hij de deur wilde openen. Zijn verbazing over het feit dat die op slot zat. De sleutel die hij uit zijn zak moest halen om hem open te doen. De tijd dat hij zichzelf de sleutel rillend in het slot zag steken, omdraaien en weer in zijn zak stoppen (hij gebruikte hem bijna nooit). Hij zou zijn vrouw, zijn kinderen of zelfs zijn hond kunnen roepen. Terwijl hij naar de sleutels keek, verbaasde hij zich erover dat hij dat niet kon. Hij ging langzaam, tergend langzaam naar binnen, ondanks de agressieve, zure, bittere geur van verbrand hout dat direct houtskool wordt vermengd met alcoholdampen.

Even bleef hij onbeweeglijk staan. Heel rechtop, als verstijfd. Een ogenblik hield hij zijn adem in, toen begon hij te lopen.

Eerst de gang. En de stilte. Het tikken van de klok in de keuken, en de keuken zelf, meteen rechts, waar hij niet naar binnen ging, waar hij alleen even een blik in wierp om vast te stellen dat alles aan kant was, de afwas afgedroogd en opgeborgen, het aanrecht leeg en droog, het zeil op de tafel met de kleine bordjes en de doos waarin de verjaarskaarsjes bewaard werden, de post die op de koelkast lag, de veelkleurige weerschijn van een poetsmiddel en de ronde vegen van een doek over de meubels en apparaten.

En nog steeds stilte.

Nog steeds die stilte toen hij langs de deur kwam van de trap die naar het souterrain leidde. Hij liep door. Nog steeds even langzaam sloeg hij links af, zonder acht te slaan op zijn innerlijke stem die zei dat hij moest rennen en de naam van zijn vrouw en kinderen moest uitschreeuwen, of op de zachtere stem die niet in paniek was, maar minstens zo verbaasd, die zei dat de hond niet naar hem toe was gekomen en niet had geblaft. Hij liep langzaam en zijn voetstappen echoden in hem, net als de gedachten die door hem heen flitsten, even vluchtig als de sneeuw buiten.

De deuren van de wc en de badkamer aan de linkerkant waren gesloten. Die van de slaapkamer ertegenover ook, evenals die van zijn dochtertje.

Alleen de deur van de jongenskamer stond open. En daar vond hij ze alle drie. Het meisje zat op de rand van het bed met de jongste in haar armen; de oudste stond met zijn rug naar hem toe uit het raam te kijken. Hij rende naar ze toe en ze vlogen hem alle drie in de armen – nee, niet alle drie, de oudste niet, die maakte alleen aanstalten om zich om te draaien en keek toen weer de tuin in, naar een vast punt waarvan hij zich niet kon losmaken, terwijl de andere twee naar hun vader toe renden.

Het meisje, gisteren dertien geworden, was koppig, vastbesloten, niet bij machte om haar broertje los te laten, ze bleef hem maar over de haren strijken en mompelde als om zichzelf gerust te stellen dat alles goed was, dat hij zo weer wegging, dat hij bijna weg was en dat mama,

Mama,

Chefraoui maakte zich los uit de omhelzing, sloeg geen acht meer op de stem van de kleine jongen, die fluisterde dat hij zo bang was, en op de zware, nadrukkelijke liefkozingen van zijn zusje, die hem wiegde en als in een gebed mompelde: 'Alles is goed, alles komt goed, hij gaat zo weg, dadelijk is hij weg, en mama,

Mama ...'

Chefraoui liep naar het raam en juist op het moment dat hij daar aankwam, net voor hij iets kon zien of zelfs maar een glimp opving van waar zijn zoon zo ingespannen naar keek, hoorde hij de Mobylette op de binnenplaats – hoorde hij hoe er steeds weer geprobeerd werd de motor te starten; maar het lukte niet in deze kou.

En Chefraoui bedacht zich geen moment, hij rende naar de deur en stortte zich zonder aarzeling naar buiten, zonder een gedachte aan de kou, de witte sneeuwlaag of het licht dat hem een ogenblik verblindde; toen hij Houtvuur onder aan de trap zag staan, voorovergebogen op de Mobylette, die hij rechtop had gezet, op de staander, die nu in balans was en waarvan het achterwiel los van de grond door het luchtledige draaide. Houtvuur stond op de pedalen, trapte uit alle macht om de benzine en de motor, om het geluid van de motor te laten opklinken: een paar knallen, veel rook uit de uitlaat, en juist op het moment dat hij opkeek en boven zich op de stoep van het huis Chefraoui zag staan kijken, die nu woedend was, sloeg de Mobylette aan, gleed van de staander en slipte in de sneeuw, en omdat hij niet op de rem stond raakte het veel te hard draaiende achterwiel de grond zodat het naar voren schoot en in volle vaart keihard begon te slingeren terwijl Houtvuur met gestrekte armen en de borst naar achteren het apparaat weer onder controle probeerde te krijgen; en Chefraoui was al bijna bij hem, hij raakte zijn arm aan en kleverig bloed plakte aan zijn hand terwijl Houtvuur opeens een voet op de grond kreeg en zich met zijn hiel afzette om de brommer mee te krijgen maar die haperde, minderde vaart, stokte, liep vast in de sneeuw en de kuilen, kiezelstenen vlogen in het rond, sommige sloegen als hagelkorrels tegen de carrosserie van de auto, de witte rook van de uitlaat en de hand van Chefraoui omvatten Houtvuurs arm, er klonk geschreeuw, een klein beetje geschreeuw dat overstemd werd door het lawaai van de motor, en toen kwam er steeds meer vaart in de brommer en ook in Houtvuur, die bijna in een rechte hoek vooroverzat om maar sneller vooruit te komen, en Chefraoui moest rennen, strekte zijn armen, probeerde tegen de zijtassen te schoppen om de Mobylette uit zijn evenwicht, uit koers te brengen, te laten zwaaien en slingeren, maar tevergeefs.

Pas later snapte hij hoe Houtvuur eerst via de bovendeur zonder te kloppen naar binnen was gekomen, en hoe hij eventjes alleen was geweest met zijn walgelijke geur die de hele ruimte vulde. Alsof hij de hele ruimte beroerde en in bezit nam.

De vrouw van Chefraoui was verschenen. Of nee. Niet eens. Ze had alleen begrepen dat er iemand onaangekondigd binnen was gekomen, zonder te kloppen, iemand van wie ze de Mobylette en de voetstappen op de trap gehoord had, iemand van wie ze merkte dat hij kou en wind meebracht nog voor ze zijn stank rook. Eerst had ze natuurlijk gedacht dat het haar man was, daarna dacht ze nee, die is het niet.

De aanwezigheid van een vreemde is iets wat je instinctief weet, wat je aanvoelt.

Ze had de kinderen gezegd dat ze in hun kamer moesten blijven en zich niet moesten verroeren. En ze hadden zich niet verroerd, zelfs niet toen ze de stem van hun moeder aan de onbekende hoorden vragen wat hij daar deed en ze zijn antwoord hoorden, niet meteen, want eerst had hij niets gezegd, geen woord, tot haar grote verbazing.

En de kinderen in de slaapkamer snapten wel dat de man niet gekomen was om te praten, hij kwam voor iets anders waar zij geen weet van hadden maar wat ze snel genoeg angst aanjoeg, vooral de jongste, omdat zijn broer en zijn zusje hem tegenhielden toen hij naar zijn moeder toe wilde en zeiden: 'Nee, hier blijven', terwijl zijn zusje haar hand heel stijf op zijn mond legde. De man zei iets en eerst begrepen ze niet wat die stem zei. Een ongearticuleerde stem, zonder lettergrepen; een stem die hakkelde, soms omhoogging, uitschoot, schreeuwde en dan weer inzakte, leek te doven of uiteenviel in een eindeloos, rauw, toonloos gegrinnik.

Het duurde heel lang. Voor hen leek het eindeloos vanwege de doodse stiltes die af en toe vielen, diepe stiltes als dode hoeken, als de leegte, als een gat, alsof het afgelopen was zonder ooit begonnen te zijn.

Daarna klonk die stem dan weer. Of die van hun moeder. Of geen van beide, maar een zucht of een beweging, een beweging waarvan ze meteen wisten dat die niet van hun moeder kwam maar iets zwaars, iets grofs was. Er kwam geen einde aan. Ze zeiden niets, de zus en haar oudste broertje durfden elkaar nauwelijks aan te kijken om bij de ander maar geen bevestiging of weerwoord op hun eigen gedachten te vinden, hun gedachten die meteen weer vervlogen als de luide stem ze afbrak; ze spitsten de oren, vroegen zich af van wie die stem kon zijn, wie die onbekende was en wat hij wilde, en toen leek de stem van hun moeder plotseling veel luider te worden en hij bereikte hen in hun kamer en verwarmde en troostte ze weer een beetje. Want ze hoorden de voordeur opengaan.

'Nou gaat u weg.'

Ze stelden zich voor hoe hun moeder zich over die vreemdeling heen boog en hem in de kraag greep om hem naar buiten te duwen, de deur stond immers open, dat hadden ze gehoord, iemand had de deur opengezet en de kou stroomde zelfs hun kamer binnen, beet dwars door hun pantoffels heen in hun voeten, in hun gezicht, en in de hand die stijf op de mond van het jongste broertje lag. Toen ging de deur eindelijk weer dicht. De sleutel werd omgedraaid. De hand verslapte. De vingers ontspanden zich, je zag de afdruk van de vingers op de rood geworden huid van het kleine broertje. En toen stond hun moeder voor hen, boos en ontdaan, blij dat ze de indringer had weten te verjagen en nog steeds verbaasd, niet angstig maar heel boos.

'Wie was dat?'

Ze gaf geen antwoord. Met verwarde blik keek ze naar haar kinderen. Naar het hoofdje van de jongste, die tegen haar aan was gekropen. En de stem van haar dochtertje: 'Wie was dat?'

En van de oudste jongen: 'Wie was dat?'

Ze antwoordde niet meteen, ze sperde haar ogen wijdopen en op haar gezicht lag plotseling dezelfde uitdrukking van argwaan en angst als bij hen.

'Stil.'

Maar de jongste strekte zijn armpjes uit, drukte zich tegen haar aan, mompelde en jammerde, terwijl zijn zus tegen hem zei: 'Hou je stil, het is voorbij, alles is in orde', en toen,

'Stil maar, hou je mond.'

De oudste keek naar zijn moeder, draaide zich toen om en wierp een blik door het raam zodat hij de hond zag, de hond, die naar het souterrain rende.

'Stil. Hij is er nog, hij is nog niet weg.'

Toen blafte de hond.

Aan één stuk door. Er kwam geen einde aan. En de vrouw van Chefraoui zei tegen de kinderen dat ze met z'n drieën op hun kamer moesten blijven en zich niet mochten verroeren.

Hij was er nog.

Ze liep naar de keuken en door het raam zag ze de Mobylette die op de grond lag en de dansende sneeuwvlokken tegen de grijze hemel. De stilte en de traagheid van de sneeuw, terwijl de hond juist steeds harder jankte en blafte, bijna dreigend werd.

Geluiden, de deur die opengaat.

En dan plotseling het geluid van ijzer, hout, voorwerpen die tegen elkaar aanstoten en omvallen. IJzer en hout op beton. En de hond die maar doorblaft, die plotseling woedend is en wegschiet. Dat dacht ze: dat de hond misschien woedend was en misschien wel ging bijten. Ze kon niet bedenken wat ze moest doen. Ze stelde zich die man voor, daar beneden. Het leek of zijn stank haar elke mogelijkheid tot bezinning, tot nadenken en handelen ontnam. Het moet vrij lang geduurd hebben. Hoelang had ze daar onbeweeglijk in de keuken blijven zitten kijken naar de sneeuw die zijn Mobylette bedekte? Hoelang had ze geluisterd naar het blaffen van de hond? Naar de voorwerpen die omvielen of van hun plaats werden gehaald?

Opeens blafte de hond niet meer, er klonk alleen nog een schel gejank dat door merg en been ging en waar geen einde aan kwam; het ging zo lang door dat ze toen het ophield begreep dat ze niets meer zou horen, geen enkel geluid. Ze had haar eigen woede niet aan voelen komen, die plotselinge haat, de stappen die ze zonder nadenken zette, de keuken uit, gehaast naar de deur van de trap, waar ze het licht aandeed en met allemaal alledaagse bewegingen de deur achter zich dichtdeed, de trap af liep, niet helemaal met haar gezicht naar beneden maar een kwart gedraaid, haast zijwaarts, langzaam, met de rechterhand op de ijzeren leuning, kijkend naar haar voeten, naar de treden, terwijl ze nog niet wist dat Houtvuur beneden in zijn hand was gebeten, omdat hij de hond het zwijgen wilde opleggen, omdat hij hem een tik op zijn snuit had willen geven en het dier direct had toegehapt. En toen liet hij een regen van klappen op het dier neerdalen, en het dier wilde zich niet langer verdedigen met beten, maar probeerde alleen nog te vluchten, te ontkomen aan de klappen die hij van de ander kreeg; en door al die klappen waren ze al snel door de achterdeur buiten beland. Want Houtvuur had iets opgepakt, een voorwerp, een plank, een stuk gereedschap, iets zwaars waar hij verder niet naar keek toen hij erop los sloeg, zijn woede de vrije loop liet, genietend van de opwinding, de genoegdoening, de beloning na al die tijd, waarna het dier al gauw bewegingloos en slap in de sneeuw lag, voor de stapel hout.

De hond was niet dood.

En toen Houtvuur hem daar liet liggen zonder er verder acht op te slaan, merkte hij niet dat er boven een kind door het raam van een van de slaapkamers naar hem stond te kijken, dat achteruitstapte toen hij het hoofd ophief en onbeweeglijk en verbaasd naar zijn bebloede hand staarde, zijn geopende hand met de gespreide vingers die ook onbeweeglijk bleven, totdat hij ze afveegde aan de linkermouw van zijn suède jasje. Hij zag het kind niet, hoewel het kind weer naar het raam toe was gegaan, en daar roerloos zou blijven staan totdat zijn vader binnenkwam, zonder zijn broertje of zusje te vertellen dat daar beneden, buiten, hun oude spaniël bij de houtstapel lag en heel zwaar ademde, te zwaar, haast rochelde, in doodsstrijd, en dat er overal bloed was, op zijn bek en op zijn lijf, zoals het kind meende te zien vanuit het raam waar het stond en waar vanuit het de man met de bebloede hand had gezien.

Maar die bleef niet staan. Die ging het souterrain binnen. Die was weer beneden, en het kind hoorde iets wat de man ook hoorde: een deur die openging, zijn moeder die de deur naar het souterrain openmaakte.

Ze deed de deur open en zag hem staan – hij stortte zich niet op haar, rende niet op haar af, niets daarvan, een flits, een grijze gedaante, een geur, een man, vierkant, ondanks het donker een donkere schaduw in de smalle grijze gang, met het eveneens grijze licht van de deur waardoor hij binnengekomen was. Nog voor ze iets kon zeggen voelde ze zijn vingers al om haar polsen klemmen, ze deinsde terug maar het was niet genoeg, zwarte nagels, gekreukelde huid, bloed, gebalde vuisten, ze balde haar vuisten, klemde de kiezen op elkaar, onderdrukte een gil, sloot haar ogen, er moest wel meer gebeuren voordat je haar aan het schreeuwen kreeg, ze schuifelde achteruit naar de eerste traptree, deed een paar stappen terug, omhoog, hoe hard de man ook kneep, hoe zijn vingers en zijn handen ook om haar polsen klemden, en lijkbleek begon ze te stamelen, woorden, gedachten, doodsangst in haar ogen maar niet op haar lippen, en het bloed stroomde tussen zijn vingers door, het bloed stroomde uit Houtvuurs rechterhand, het kwam ook op haar huid, ze zag het, ze begon er bijna van te schreeuwen maar dat deed ze niet, ze schreeuwde niet, ze gilde niet, helemaal niks, ze hield haar angst binnen, achter haar ogen, in haar hoofd, ze moest haar zelfbeheersing bewaren, alles bewaken, kalm zijn, beheerst, nadenken, volhouden, binnenhouden, ja, ze moest de schreeuw in haar keel binnenhouden, dat is goed, dat moet, misschien vanwege van de kinderen, ze zou niet kunnen zeggen waarom ze zich inhoudt, waarom ze niet schreeuwt, niet probeert zich los te rukken, haar handen terug te trekken door wild met haar onderarmen te schudden, nee, niets, ze denkt aan haar voeten die achteruit moeten stappen, naar boven toe, nog een paar treden, niet vallen, denkt ze, sleur hem niet mee in mijn val, zorg dat hij niet met zijn hele gewicht boven op me valt en de kans krijgt om me aan te raken, om me ... ja, waarom niet, plotseling een stortvloed aan walgelijke beelden die haar misselijk maken, ze denkt aan de kinderen, aan het idee van een verkrachting, beelden die ze ver van zich houdt, zijn tong, zijn geur, zijn zweet dat zich vermengt met het hare, hun huid tegen elkaar evenals hun angst, de angst van hen beiden, en dan de droge, gehaaste bewegingen, horten en stoten die hun stemmen en blikken moeten dragen en haar stem die zwijgt.

En heel even zal ze gedacht hebben dat hij aarzelde, dat hij misschien tot zichzelf kwam en inzag waar hij mee bezig was, wat voor wandaad hij wilde begaan, en haar ontstelde gezicht, haar handen die naar haar borst gingen, de sporen van zijn vingers op haar polsen, het bloed op zijn linkerpols dat vlekken maakte op zijn kleren. Misschien merkte hij hoeveel hij bloedde, misschien besefte hij opeens dat het pijn deed, dat de hondenbeet hem pijn deed, toen zij plotseling op haar beurt, voorbij zijn gehijg, hun beider gehijg, daar onder aan de sombere, grijze cementen trap een echo hoorde die leek op het gedempte geluid van een autoportier, onmiddellijk gevolgd door voetstappen: iemand die de trap bij de ingang op kwam en wiens passen door het huis klonken tot beneden bij hen, op de andere trap, geluidstrillingen die hun lieten weten dat de situatie anders was geworden, dat er iets veranderd was, dat er iemand was, dat er iemand kwam.

Toen keken ze elkaar heel even aan. Zij vatte weer moed, al was ze zwak, plotseling heel zwak. En hij deinsde terug toen hij de voetstappen hoorde van die persoon die daarboven door het huis liep.

Binnenkort zou hij hier tegenover hem staan.

En plotseling glimlachte Houtvuur toen hij Chefraoui's vrouw aankeek, ja, hij lachte met een vreemd glimlachje, een leeg, onmogelijk lachje, en hij vluchtte weg, omdat hij besefte dat hij heel even een aandrang had gevoeld om zijn handen op de enorme borsten van de vrouw tegenover hem te leggen.

Toen hij vluchtte bleef ze stokstijf staan; ze had ook niet geroepen.

De tranen kwamen net zo automatisch als de adem in haar borstkas.

Die stond even ver van haar af als de trilling in haar handen. Als de plekken op haar polsen, de manier waarop ze haar vingers strekte en uitspreidde en ze vervolgens weer tot een vuist balde om het bloed te laten stromen. Ze hoorde amper het starten van de Mobylette.

Toen dacht ze aan de kinderen, ze besefte dat ze op moest staan om haar handen te wassen, om Houtvuurs bloed en haar eigen tranen weg te spoelen.

Maar ze kwam nog niet direct in beweging.

Ze richtte zich pas op toen ze iemand door het huis hoorde rennen. De deur ging open en ja, ze voelde bepaalde trillingen die ze herkende, buiten, er werd gerend op de trap: toen stond ze op van angst, gewoon van angst.

Ze liep het souterrain door zonder dat het ook maar in haar opkwam om het licht aan te doen. Ze zag wat een chaos het was: de werkbank, het gereedschap, de planken en de fietsen waren allemaal omgegooid of omgevallen.

Ze liep naar de deur van het souterrain, en toen ze die bereikte zag ze dat de binnenplaats was uitgestorven. Niets te zien. Maar het hek stond open en de auto was er. De benzinegeur van de Mobylette hing nog in de lucht. Toen hoorde ze de ademhaling en voetstappen van haar man, en al snel verscheen zijn gestalte in de deuropening. Hij liep de binnenplaats op. Hij keek naar zijn vrouw, ze zeiden geen van beiden een woord, en ze liepen naar boven, naar de kinderen.

Avond

‘En wat nu?’

Het was alsof Patou die vraag niet gesteld had maar dat die tussen ons in zweefde toen we daar zaten, lijkbleek in het neonlicht van het biljart, het felle licht dat zelfs de schaduwen wit maakte.

Ménard keek eerst naar de burgemeester en toen op zijn horloge. En daarna naar mij. We keken elkaar aan, maar ik bleef zwijgen. En hij ook. Toen keek hij naar Patou.

De burgemeester richtte zich op, keek me aan met een treurige, schuldbewuste blik; ik hoorde hem zeggen: ‘We hebben geen keus.’

Alsof íк de vraag gesteld had, niet Patou, die direct zei: ‘Hoe bedoelt u: geen keus?’

Toen pas wendde hij zijn gezicht naar haar toe. Maar hij zei het niet opnieuw, hij keerde zich zwijgend naar mij toe, alsof hij wilde dat ik ook iets ging zeggen.

‘Nee, Patou, ze hebben geen keus.’

Ze haalde haar schouders op alsof ik iets gezegd had wat ik nooit zou durven herhalen, of wat ik, als ik in mijn oren zou horen wat ik had gezegd, zou denken: ja natuurlijk, dat zeg je niet, het is absurd wat ik zeg, en alsof ze me te snel af wilde zijn, alsof ze alvast reageerde op wat er volgens haar in mij omging, deed ze er nog een schepje bovenop: 'Hoe bedoel je, geen keus? Hij is wel je neef, Rabut, je moet hem verdedigen, hij was dronken, misschien dienen ze niet eens een aanklacht in, je weet maar nooit, zo is Houtvuur nou eenmaal, hij heeft iets doms gedaan en ...'

'Noem je dat iets doms?'

'Ja, iets doms.'

'Het is wel iets meer dan zomaar iets doms,' vervolgde Ménard, 'het is veel erger.'

En toen zagen we dat de andere gendarme, die er zwijgend bij zat en geregeld aan zijn glaasje nipte, opkeek, waarbij zijn dubbele onderkin trilde als de kam van een haan die wakker wordt, en zei: 'Een schok, het is een schok voor iedereen.'

'Ja, zeg dat wel', hernam de burgemeester.

'Rabut, het is het beste als je meegaat.'

We hadden besloten dat het al te laat was om nu nog naar hem toe te gaan, omdat er te veel sneeuw lag voor de auto, en ook omdat ze niets overhaast wilden doen. Nee, besloten ze, laten we eerst gaan slapen, dan gaan we morgenochtend naar hem toe. Zo rond een uur of acht, negen.

Ik keek hoe laat het was; en ik had liever niet de volgende ochtend met ze afgesproken op het plein voor de kerk. 'We komen allemaal, iedereen moet er zijn,' had Ménard gewaarschuwd, 'je weet maar nooit wat hij gaat doen, hoe hij reageert.' De burgemeester gaf geen krimp, alsof het hem niet aanging. Hij stond op en de gendarmes ook. Ik bleef nog een paar seconden zitten, en toen kwam er een heel agressief zinnetje in me op dat ik niet uitsprak: het lag me op de lippen en ik snapte niet waar het vandaan kwam op het moment dat zij alle drie opstonden, woorden die ik meteen weer inslikte maar die nog steeds door mijn hoofd spookten.

'Meneer de burgemeester, kunt u zich de eerste keer dat u een Noord-Afrikaan zag nog herinneren?'

Maar ik heb niets gezegd. Ik merkte nog net dat ik even naar de burgemeester keek om te controleren wat ik al wist, namelijk zijn leeftijd, ja, hoe oud was hij toen eigenlijk geweest? Was hij erbij geweest, had hij er iets van gezien, had hij voor het eerst de vertrouwde familiekring verlaten, heeft hij maandenlang een gezin of een verloofde in de steek gelaten? Was hij bang, verveeld, had hij een geweer vastgehouden, voelde hij hoe klam zijn handen het wapen omklemden, hoe verstikkend de hitte was? Ja – ik weet dat allemaal.

Ik weet dat hij er net te jong voor is.

Toen de burgemeester zijn portefeuille trok, keek Patou de gendarmes en de burgemeester strak aan, met iets onverzettelijks in haar blik, iets vermoeids ook, en zei dat het van het huis was. Daarna, op dezelfde toon, maar nu bijna fluisterend: 'Misschien dienen ze geen aanklacht in?'

'Reken er maar wel op! Ik heb een dokter bij de vrouw langs gestuurd. De kinderen zijn totaal van streek en zij ook, zoiets kun je niet door de vingers zien.'

Ménard sprak heel rustig en kalm. Maar het was onweerlegbaar, en natuurlijk reageerde Patou niet direct.

Ze glipte achter de toog, pakte zonder Ménard of de burgemeester aan te kijken een sigaret en stak hem op; toen ging ze naast haar man bij de kassa zitten. Ik stond op en liep naar ze toe. Ménard legde zijn hand op de deurknop. Hij wachtte nog even, toen duwde hij de deur open.

'Ik weet dat het niet kan. Ik weet dat je het niet kunt goedpraten', zei Patou. 'Ik heb altijd al geweten dat hij op een dag iets stoms zou doen. Maar het had nog veel erger kunnen zijn. Ik bedoel ...'

'Ik weet wat u bedoelt,' onderbrak Ménard, 'maar u moet er niet op rekenen dat ik dit ongestraft laat passeren.'

En toen pas zag de burgemeester er echt geïnteresseerd of betrokken uit: toen ze op het punt stonden om weg te gaan en hij zomaar, bijna achteloos, of nee, beter gezegd alsof het vanzelf sprak, op een toon van ons-kent-ons, niet strijdlustig maar meer van zo is het nu eenmaal, liet vallen dat al die dronkaards, alcoholici, zuiplappen, parasieten, dat wij daar maar mee zitten, wij, de gemeenschap, de burgers, en maar betalen, begrijp je? Dan een kort schouderophalen: gelukkig hebben we hier niet zo veel dronkelappen en bedelaars, leek hij daarmee te willen zeggen, en daarna zei hij kom, we weten toch allemaal hoe het zit, nietwaar, dat weet iedereen. En Patou keek hem onbewogen aan, sputterde niet tegen, stond alleen op om haar peuk uit te drukken en liet hem maar praten, probeerde hem niet weg te krijgen, deed niet eens een poging om hem aan te kijken toen hij vertelde dat alles een vooropgezet plan was geweest, die hele provocerende geschiedenis met die broche, want provocerend, dat was het geweest, allemaal in scène gezet, dat moest wel, hij was toch niet zo stom of gek of onnozel of gestoord dat hij niet begreep wat een schandaal het zou veroorzaken als hij zo'n kostbaar juweel zou kopen, dat was idioot, geschift, of niet soms?

'Toch, Rabut, is het niet zo gegaan, zo denk jij toch ook dat het zit? Dat klopt, toch?'

En ik hief voor de zoveelste keer mijn handen op om te bevestigen dat het echt waar was, toen Patou zich in plaats van te gaan zitten juist zo lang mogelijk maakte en zei: 'Nee, het klopt niet.'

En ze vertelde dat ze net voordat het allemaal gebeurd was met hem hadden gesproken, Jean-Marc en zij (ze wendde zich met een korte beweging tot haar man voor een bevestiging, die direct kwam in de vorm van een hoofdknik en een bijna bovenmatig luid ja), dat ze het beiden zelfs al wekenlang hadden geweten, dat Houtvuur zijn plan al weken zat voor te bereiden, dat hij helemaal geen grote actie op touw wilde zetten, dat hij absoluut geen scène voorbereidde maar zich alleen opmaakte om een vrouw die weduwe was een cadeau te geven, snapt u, een cadeau zoals mannen als u dat aan hun echtgenotes geven. Nou weet ik wel dat u gaat zeggen dat ze zijn zuster is en niet zijn vrouw. Maar dat was wel degelijk in hem opgekomen; daar had hij rekening mee gehouden, en hij had bedacht dat zij niemand had die haar zo'n duur cadeau zou geven. Zo'n sieraad. Daar had hij aan gedacht. Daar had hij echt over nagedacht en dat is goed van hem, niet dan, vinden jullie het soms niet goed van hem dat hij aan zijn zus dacht en bedacht dat ze van niemand ooit zomaar een sieraad zou krijgen omdat er niemand was om dat te doen?

Toen waren de burgemeester en de gendarmes vertrokken. Zonder haar een duidelijk antwoord te geven, met wat vage hoofdgebaren die betekenden dat ze het begrepen, of anders dat ze het niet begrepen maar niet wisten wat ze ervan moesten denken. Of misschien alleen ten afscheid en als dank voor de consumpties.

Ik wilde bespreken of we terug zouden gaan naar de feestzaal, maar zodra de drie mannen waren vertrokken, wierp Patou de vraag op hoe we hem konden verdedigen: hij had zich echt als een idioot gedragen, een wanhopige, een waanzinnige; goed, hij was dan een domme, stille, opvliegende zuiplap, dat wel, maar een slecht mens was hij niet, slecht was hij niet, dat bleef ze maar herhalen terwijl ik naar haar keek, en ook naar hem, haar echtgenoot, wiens zware blik rustte op de handen van zijn vrouw, die de peuk uitdrukten van de sigaret waar ze nauwelijks van gerookt had en die ze nu met een vlug duwtje doormidden brak, op haar knalrood gelakte glimmende nagels, de as, het witte sigarettenpapier en de lippenstift op het strogele filter; ik keek naar haar en haar man ook, en ik hoorde die vraag weer in mijn hoofd die me op de lippen lag: 'Meneer de burgemeester, kunt u zich de eerste keer dat u een Noord-Afrikaan zag nog herinneren? Weet u dat nog, meneer de burgemeester? Weet iemand dat nog? Wie dan ook? Herinner je je zoiets?'

Ik hoorde die zin nog steeds in me, en ik voelde dat

een deel van mij op dat moment instortte, vastliep, bezweek, iets waarvan ik vermoed dat het tot dan toe alleen maar weggestopt of ingedommeld was, versuft misschien, een oud karkas dat in mijn hoofd in slaap was gevallen maar nu wakker schrok met wijd opengesperde ogen, rimpels op het voorhoofd en een zware kop, net toen ik me afvroeg waarom die zin in me opkwam en zo veel beroering in mijn borst veroorzaakte, want mijn hart maakte een sprongetje alsof ik ergens tegen opzag – een afspraak misschien, of iets als een examendag – met daarnaast nog woede en verontwaardiging over Ménard en de gendarmes met hun beschrijvingen en hun details, en ik die hun woorden nog had aangedikt, er dingen bij had verzonnen, gezichten, angsten en beelden had opgeroepen, dingen die hij gezegd had; en daarna die vreemde bevlieging, die ommekeer: waarom had ik opeens Houtvuur willen verdedigen door de burgemeester die vraag naar het hoofd te slingeren: 'Weet u het nog, meneer de burgemeester?'

En daarna de diepe schaamte over die vraag, over het feit dat die in me was opgekomen. Een schaamte die zo zwaar op me gewogen had dat de woorden niet naar buiten hadden gekund, zodat ik mijn pijlen niet op de burgemeester en de gendarmes had kunnen richten en mijn agressie plaats moest maken voor verbazing, verwondering over het feit dat er woorden in mijn hoofd klonken die nergens vandaan kwamen, en dan nog wel zo duidelijk en helder, geen loze beelden of flarden van gedachten, geen chaos maar een heldere, duidelijke zin gedragen door een vaste overtuiging, een gevoel van irritatie dat me zelf verbaasde, een golf, een impuls, een aandrang om te zeggen: zo is het genoeg, en daarmee iets van Houtvuur te verdedigen wat niet te maken had met familiebanden, vriendschap of respect, wat zelfs geen vorm van mededogen was of de neiging om iemand die ongelijk heeft zomaar, spontaan in bescherming te nemen omdat je weet dat niemand anders dat gaat doen.

Nu zeg ik het allemaal, maar toen was het allemaal niet zo duidelijk. Ik weet het nog omdat ik me herinner dat ik Patou aankeek terwijl al die dingen door mijn hoofd schoten. En in plaats van haar antwoord te geven, in plaats van iets te zeggen, stond ik zwijgend voor haar, te kijken naar de doormidden gebroken sigaret in de glanzende zwarte asbak waar in felrode letters MARLBORO op stond, in dezelfde rode kleur als Patous nagellak.

'Zal ik nog eens inschenken?'

'Nee, ik ga.'

Ik liep naar de deur, pakte de knop vast. Toen draaide ik me om. Ik liep terug naar de toog en ging plompverloren in de aanval, met een veel te schelle stem die zomaar brak toen ik mijn keel schraapte, toen ik kuchte en me achter mijn gesloten vuist verschool: 'Weet je, Patou, Houtvuur was altijd al een rare kerel, je kent hem lang niet zo goed als ik. Ik weet niet of je hem wel doorhebt. Ik zou je heel wat kunnen vertellen over mij en hem, over zijn leven, zijn jeugd, zijn huwelijk, zijn kindertijd, ja, vooral over zijn kindertijd, alleen al daarover. En niet alleen kleine dingen, dieren pesten, kwajongensstreken die er niet toe doen; dingen als de staart van een hagedis afsnijden, een kikker aan een steen binden en dan in het water gooien om hem te zien verdrinken, een kikker opblazen met rook tot hij knapt, met hagel op vogels en kippen schieten – dat zijn dingen die plattelandskinderen nou eenmaal doen, daar heb ik het niet over. Meer over daarna, later, toen hij een puber was.

Je kent die geschiedenis van zijn zus, zijn zus Reine, die doodging, dat zegt jullie natuurlijk niks, maar ik kan Houtvuur pas sinds een paar jaar weer aankijken zonder eraan te moeten denken, daarvóór kon ik dat niet; ik zag steeds weer voor me hoe ik hem met zijn rug tegen de slaapkamerwand zag staan, tegen de witgekalkte muur, met de kaarsen en het lage bed met de ijzeren spijlen waarin ze leeggebloed lag te sterven, omringd door klaagvrouwen uit de buurhuizen, oude vrouwen, de geur van paraffine, de bedomptheid; een fles eau de cologne en het gebedenboek op het nachtkastje, een vochtig washandje op haar voorhoofd en de geur van stof, van pollen die buiten rondzweefden, en de stilte, het kruisbeeld boven het bed, de kanten kleedjes over de meubels, de rozenkransen, omhelzingen, gejammer: jullie hebben geen idee hoeveel buikpijn je daarvan krijgt, hoe graag je om je heen zou willen meppen, er was toen nog geen nieuwbouw, alleen kleine, donkere, krappe stenen rothuisjes, bijna net zo gesloten als een paar handen die een miezerig, onhandig geheimpje omknellen, zoiets. En wat stonk het binnen, ik herinner me dat mengsel nog precies: de geur van stilstaand water, zeep en afwas, brommende vliegen tegen de ruit, een plastic tafelzeil met wijnvlekken, en hem herinner ik me ook, hoe hij in een hoekje bij het raam met zijn rug tegen de muur zat, de afkeer die hij uitstraalde zoals hij daar met kaarsrechte rug, als de deugd of het recht of wat dan ook, zat te kijken naar zijn stervende zus en het wiegje dat naast haar stond.

Ja, ik zal het uitleggen. Ik ga te snel.

Het dode zusje liet een kind na zonder vader of moeder, een kind dat niets anders had dan een lichaampje en de verbazing dat het op de wereld was, een verbazing die de anderen met het kindje deelden, alle anderen, de hele familie. De Oude Vrouw zorgde voor het kind, terwijl de anderen dertig of veertig jaar lang van alles mompelden om bij te komen, krijg nou wat, zo'n kind, maar ook over Bernard – die toen nog geen Houtvuur was – met zijn naar voren gestrekte hals en zijn stijve nek, die spelend met het lemmet van een zakmes zijn nagels schoonmaakte en die niet op- of omkeek als de anderen huilden of vertederd werden, die uitsluitend naar zijn nagels en de zwarte smurrie op de punt van het mes keek en allerlei onzin uitkraamde. 'Ik zweer het,' zei ik nog eens tegen Patou en Jean-Marc, 'hij is echt niet zo aardig als jullie denken en zeggen, hij is niet zomaar een jongen die verloren heeft in het leven en aan lager wal is geraakt, nee, dat is niet het hele verhaal, hij is wel aan lager wal geraakt, maar die hardheid, die onverzettelijkheid in zijn blik, toen hij daar zat terwijl zijn zusje lag te sterven, echt, zoiets verzin je niet, ik herinner me haar nog heel goed, bruin haar, knap, verlegen, in het kraambed gestorven, deels van schaamte, woede en pijn, toen ze door haar vermoeidheid en haar bloedverlies heen hoorde hoe haar broer die rechtop tegen de witgekalkte muur zat haar met zijn onverzoenlijke, kille blik op een duidelijke, trage, onbewogen manier bijna fluisterend een slet noemde; ik herinner me hoe hij net op het moment dat ik binnenkwam ijzig kalm het woord slet mompelde, hij zei het en zei het opnieuw: slet, we hebben hem eruit moeten zetten omdat hij zijn schouders ophaalde, zoiets vergeet je nooit, snap je, zoiets kan ik niet vergeven, zo wreed, zo ijzig kalm, zo onwrikbaar.

Ik heb het niet over de jonge katjes die hij bij hun geboorte voor de lol tegen een muur smeet, begrijp je, niet over de stommiteiten die wij, plattelandskinderen, begaan hebben. In die tijd wisten we niets van de wereld en hadden we geen verwachtingen – op je veertiende ging je werken op het land en droomde je ervan je rijbewijs te halen en je buurmeisje mee te nemen naar de zaterdagse dansavondjes, de kermis of de draaimolen op zondag en paasmaandag, en daar hield het wel mee op.'

Diepe stilte toen ik was uitgepraat. Ik voelde me helemaal leeg. Jean-Marc kwam naar me toe, schonk me een glas cognac in en zette het voor me op de toog neer. Ik pakte het direct op, maar ik dronk er niet van. Ik bleef lang naar het met amberkleurig vocht gevulde glas kijken.

Toen ging ik verder.

'Natuurlijk mochten jullie hem, jullie hadden iets gemeen, vandaar. Hij vertelde over Parijs en het gebied om de stad heen, over de jaren die hij daar had doorgebracht, en dat vonden jullie leuk, een vent van hier die jullie geboortegrond kende. Die meer kende dan alleen de Eiffeltoren en zo, maar ook de straten en boulevards. Een boer die verhalen vertelde waarvan je met de oren stond te klapperen, waanzinnige verhalen waar wij niets van begrepen, ja, daar moesten jullie om lachen, het eenentwintigste arrondissement, dat soort insidergrapjes vertelde hij, aan jullie, maar ook aan de rest, aan mij, op die geniepige manier, alsof wij allemaal maar sukkels waren. Voor jullie was het leuk, dat begrijp ik best. Iemand uit deze streek die wist waar jullie vandaan kwamen, voor wie iets als de Ringlijn wél iets betekende, namelijk de verbinding met de autofabriek in Billancourt. Misschien komt het daarom, maar neem dit maar van mij aan, ik heb hem nooit als arbeider gekend, in zijn overall in de fabriek in de buurt van Parijs waar hij auto's in elkaar zette, nee, ik heb hem gekend zoals hij terugkwam.

Daar zou ik het uren over kunnen hebben. Zijn lichaam dijde steeds meer uit en hij zwierf maar door het dorp, op zoek naar aanspraak, heus niet alleen met zijn maten van vroeger, de Fabres met hun geiten die de godganse dag door de velden liepen, maar ook met zijn vroegere jeugdvrienden uit La Migne of de gehuchten eromheen, en de buren – wat er nog aan buren restte, degenen die hun boerderij niet van de hand hadden gedaan, maar ervoor hadden gezorgd dat hun oude ouders er hun laatste levensdagen konden slijten en zich erover konden verbazen dat al hun zonen waren weggetrokken.

Nou, het verbaasde hem ook, hij vond het haast schokkend om te merken dat hij niet de enige was die was weggegaan, want hij had gedacht dat hij bij thuiskomst de zonen op de plaats van hun vaders zou aantreffen en de dochters op die van hun moeders. Maar ondertussen, nou ja, dat hoef ik niet te vertellen, dat weten jullie ook, dat weten we allemaal, hoe al die nieuwbouwhuizen uit de grond zijn gestampt, in het kielzog van de fabrieken, het nieuwe huis van Solange als een van de eerste en grootste op een akker.'

'Rabut.'

'En daarvoor was er niets, hier. La Bassée was een en al akkerland, er waren zelfs fossielen van ik weet niet hoelang geleden.'

'Rabut.'

'Dus toen hij na al die jaren terugkwam, was hij niet alleen verbaasd omdat hij een heel andere wereld aantrof, maar ook in zekere zin geschokt, daar ben ik van overtuigd; hij dacht dat het moedig of snugger van hem was geweest om weg te gaan, nee, dat zeg ik verkeerd: niet om weg te gaan, maar om niet terug te komen. Want dat weggaan, dat was niet uit eigen beweging geweest.'

'Rabut.'

'Na zijn vakantiereisje naar het grootste zandstrand ter wereld, maar wel zonder zee, ja, ja, altijd lachen, dat weggaan was al leuk genoeg en dan presteerde hij het ook nog eens om niet terug te komen, maar gewoon te doen waar zijn pet naar stond, die oude versleten pet, en kijk eens hoe het er nu voorstaat ...'

'Rabut.'

'Rabut, waarom vertel je dit allemaal? Je hoeft het heus niet erger te maken dan het is, hoor. Da's nergens voor nodig. Toch? Vind je wel?'

Ik gaf Jean-Marc geen antwoord.

Ik pakte het glaasje cognac en bracht het naar mijn lippen. De geur streelde mijn neusgaten en verwarmde me, maar ik dronk er niet van. Ik zette het glas terug en volgde Patou met mijn ogen. Ze was achter de bar vandaan gekomen en zette zwijgend de stoelen op de tafels. Jean-Marc begon te praten. Hij zei: 'Luister, Rabut, hoe die neef van jou ook in elkaar zit, als hij het over jou heeft, zegt hij geen kwaad woord. Hij noemt je een studiebol en daar moet hij zelf om grinniken, maar daar blijft het bij. Soms, ja, soms, als hij echt zat is, zegt hij weleens iets hatelijks over Noord-Afrikanen of de hele wereld, maar dan nog, en wat gaat er nu met hem gebeuren, ze gaan hem de les lezen of in de bak gooien en wat dan, wat heeft dat nou voor zin, natuurlijk, het was volslagen gek van hem om zomaar ergens naar binnen te stormen, ik begrijp er niks van, misschien heeft hij ze even niet allemaal op een rijtje, misschien is het morgen al te laat, misschien dat hij...'

Hij zweeg plotseling, liet de zin in het luchtledige hangen terwijl hij zijn blik strak op de glazen deur gericht hield: Nicole stond aan de andere kant te aarzelen of ze naar binnen zou gaan.

Zoals ze daar stond in haar mantel leek ze piepklein,

verbaasd, ongerust, bijna boos om me hier in de bar aan te treffen met een cognacje voor me waar ik niet van kon drinken en naar de amberkleur waarvan ik had zitten kijken, terwijl Jean-Marc aan het woord was, als om me erin te verschuilen, als iets waar ik mijn verwarde gedachten op kon richten. En toen moest ik Nicole onderbreken, die allerlei vragen begon te stellen: 'Wat moesten die gendarmes? En de burgemeester, wat wilden ze? Wat was het dat jullie niet konden zeggen in ons bijzijn? Wat is er aan de hand?'

Haar blik zocht die van Jean-Marc en Patou. De laatste gaf geen krimp, ze zei niets en keek zelfs nauwelijks op. Ze was nog steeds stoelen op tafels aan het zetten, en toen ze klaar was ging ze een bezem halen.

En ik vertelde alles aan Nicole.

'Solange. We moeten Solange waarschuwen. Het moet. En we moeten Saïd bellen om te horen hoe het gaat. Met zijn vrouw, en hij heeft de kinderen toch niets aangedaan, dat is het belangrijkste ...'

De verontruste stem van Nicole, haar blik die op het randje van de paniek balanceerde totdat ik zei dat alles prima met hen was.

'Ze zijn bij de dokter geweest en ik weet niet wat er gaat gebeuren, ze willen geen aangifte doen, maar de burgemeester dringt aan en de gendarmes ook. Ze willen hen overhalen om het wel te doen, ze gaan morgen weer naar hen toe om Chefraoui zover te krijgen om een aanklacht in te dienen, doe het nou, je hoeft nergens bang voor te zijn, ja, zo zal het gaan, ze zullen zeggen dat hij het niet doet omdat hij bang is. En ze willen dat ik morgen ook meega naar Houtvuur. Ze willen hem verhoren en zeggen dat er niet geseponeerd gaat worden.'

Verder kwam ik niet, want op dat ogenblik kwam dat zinnetje weer in me op, het schoot zomaar door mijn hoofd, een flits, een aanval, een bliksemschicht, waar ik vanaf kwam door het glas cognac in één teug achterover te slaan, terwijl ik op overdreven ferme toon tegen Patou en Jean-Marc zei: 'Nou, ik zal jullie op de hoogte houden.'

En tegen Nicole: 'Kom, we gaan.'

En tegen mezelf: Wat is er met je aan de hand, Rabut? Wat is dit voor iets vreemds, zelf zou je Houtvuur nooit vergeven, wat is dit, waarom zit er achter al die haat en minachting en die oude wrok die nooit verdwenen is iets anders, waarom voel je nog iets anders dat van nog verder weg komt, van helemaal onderop, iets wat omhoogkomt en ongezonde woorden fluistert, als een angst, of woede, nee, woede is het niet, maar wat wel, wat heeft dat zinnetje toch te betekenen: 'Meneer de burgemeester, meneer de burgemeester, weet u nog wanneer u voor het eerst een Noord-Afrikaan hebt gezien? Weet u dat nog, meneer de burgemeester? Weet u dat nog? Weet iemand dat nog? Iemand? Herinner je je zoiets?'

Wat zeg je daar?

Is er iemand die?

Wat zeg je?

Niets.

En op dat moment herinnerde ik me één ding, nou ja, het was geen echte herinnering, nog niet, meer een beeld dat bijna even echt en werkelijk was als de kou en de sneeuw: een lenteochtend in zevenenzeventig of achtenzeventig, stomverbaasde mensen in de supermarkt die ophielden met boodschappen doen toen ze van heel dichtbij een echtpaar zagen met als enige bijzonderheden een pastelgroene djellaba, een lichtblauwe hoofddoek en met henna versierde handen.

Dat was alles.

Het was de eerste keer dat er hier vreemdelingen werden gesignaleerd. En waar wij niet op hadden gerekend, was de verbazing op dat moment van onze vrouwen, familieleden en vrienden die in de jaren daarvóór maandenlang op ons gewacht hadden, die onze brieven hadden gelezen, onze foto's hadden gezien, en zich vast weleens zouden hebben afgevraagd hoe die mensen van de andere kant van de zee er *in het echt* uit zouden zien.

Ja, die vreemde ontdekking, die nieuwsgierigheid in de eerste dagen en maanden.

Voor ons voelde het alsof we doden of geesten zagen herrijzen, zoals ze dat 's nachts soms ook deden, al vertelden we dat aan niemand, maar we wisten het allemaal van elkaar als we andere Algerijnse veteranen tegenkwamen, aan hun manier van praten over niets, niet over dát maar over helemaal niets. We spraken over van alles, over de jaarlijkse tombola, de loterij die georganiseerd moest worden, het volgende diner, de picknick met een aan het spit gebraden schaap. Want dat deden we elk jaar.

Maar geen woord over Chefraoui toen hij hier neerstreek met zijn gezinnetje, zelfs niet over de vraag uit welke streek hij kwam, uit Kabylië misschien, geen woord, we stelden geen vragen. Toch had dat wel gekund, we hadden zelfs met hem kunnen praten, kunnen zeggen: 'O ja, die streek ken ik, mooi is het daar.'

Maar nee hoor. Zelfs dat niet. We deden het niet.

We dachten er natuurlijk wel aan, maar meer als iets waarvoor je je eigenlijk moest schamen, iets waarvoor je je schaamde omdat het een deel van jezelf was dat opnieuw verrees, de oude geschiedenis van onze jeugd.

Iedereen zal heimelijk af en toe van die ongezonde gedachten hebben gehad die je voor jezelf hield, die je diep wegstopte in de krochten, schaduwen, moerassen of poelen van je herinnering omdat je dacht dat jij vast de enige was die er na al die jaren nog last van had, die je hoogstens met je vrienden deelde als je onder elkaar was en een beetje aangeschoten: 'Heb je gezien dat die Algerijn even oud is als wij? Ja, echt.'

Allesbehalve.

'Weten jullie waar hij vandaan komt, waar hij toen was?'

In het begin wisten we niet eens zeker of hij Algerijn was of Marokkaan of Tunesiër. Al was hij voor ons natuurlijk Algerijn.

Het was koud toen Nicole en ik buitenkwamen. Koud toen we bijna hollend de straat overstaken. We gingen snel de feestzaal binnen, waar we ontvangen werden door kil wit licht en stilte in de bijna lege zaal; we lieten alle gedachten, beelden en herinneringen achter bij de deur, ons hart ging wat harder bonken en we dachten maar aan één voornaam, één gezicht: Solange.

De tafellakens waren weggehaald, de tafels waren nog slechts planken, behalve die in het midden, waar de laatste gasten zich hadden verzameld.

Het leek alsof ze in een heel hechte kring zaten die Solange strak omsloot. Maar dat duurde niet lang. Net lang genoeg voor haar om alles te begrijpen, haar tranen te onderdrukken en te voelen hoe de woede bezit van haar nam: ze liet zich ontvallen dat al dat eten tot morgen kon worden bewaard voor degenen die dan terug wilden komen ... Dat was ook een manier om iedereen te vragen om alsjeblieft weg te gaan, de gesprekken af te breken – ze wist immers maar al te goed waarover, of beter gezegd over wie die gingen.

En dat wilde ze niet.

Niet nog meer wrevel en haat over Houtvuur uitgestort, al die wrevel en haat die door haar familie, door het leven rondzwierf, hier, daar, overal, want ditmaal zou ze hem niet kunnen verdedigen. Ze zou het niet eens proberen. Ze zou het niet kunnen – en toch wilde ze niet zwichten, niet weer belanden in het oude keurslijf waar ze haar al sinds haar jeugd in probeerden te duwen, omdat iedereen haar broertje, deze broer, toen al verweet dat hij een soort onzichtbaar kind was, geniepig en haatdragend, die de hele dag verdween in het bos van het Witte Paard of in de maïs- en korenvelden waar hij rondhing met zijn vrienden, de jongens van Fabre, die net zo vuil en stom waren als de geiten die hen mee uit wandelen namen, want eerlijk waar, die geiten bepaalden waar ze heen gingen en zij liepen er fluitend achteraan, met wangen die gloeiden van de zon of lippen die barstten van de kou, ze volgden de geiten langs de berm van de weg, door de velden van deze of gene, en de dieren maakten alles kapot, ze trokken de jonge plantjes en loten rustig en onverschillig uit de grond. En zowel de Oude Vrouw als de Vader waren altijd boos op hem, en de anderen ook, altijd.

Alsof hij alle woede van iedereen moest torsen en geen weerwoord mocht geven, nooit.

Hij ging er dan ook nooit op in.

Nee, dat wilde ze niet. Ze weigerde het eens te zijn met de anderen, met alle anderen, die stonden te popelen om hem naar beneden te halen. En omdat ze van hem hield, wist ze niets te zeggen, ze was lijkbleek; en omdat zij wel wisten hoe ondraaglijk het voor haar was om hen over hem kwaad te horen spreken, stonden ze allemaal op en ging de een na de ander zijn jas halen; ze liepen behoedzaam naar de deur, bedankten vluchtig en verdwenen haast zonder een woord.

Toch weerhield het me er niet van om opeens mijn mond open te trekken en een paar woorden te laten vallen die ik al veel te lang had binnengehouden, maar niemand reageerde, ze waren alleen maar verbaasd dat ik zo hard praatte en mijn gram kwam halen over iets wat al zo lang geleden was, toen Bernard, nog niet Houtvuur, hier weer was verschenen.

Ik liep weg van de tafel en ging tegen de verwarming aan staan, met mijn handen op mijn rug om ze te warmen. Ik praatte verder terwijl iedereen van tafel ging. Ik keek naar Nicole, die aan het afruimen was en niets zei, naar Solange, die langsliep alsof ze alleen maar oog had voor de glazen, kopjes en waterkannen in haar handen die ze terugbracht naar de keuken aan de andere kant van de zaal, en die strak voor zich uit keek toen ze me passeerde, zonder echt te horen wat ik zei, en ik merkte dat ik de waterval niet meer kon stoppen –

'Solange, weet je nog. Nicole, weet je nog. Weten jullie nog? We weten het alle drie nog, alle drie, ja, ook al is het bijna twintig jaar geleden dat hij terugkwam, ja, nog iets langer zelfs ...'

'In zesenzeventig.'

'Hoe weet je dat nog?'

'Vanwege die hitte, toen.'

'Ja, zesenzeventig, dat kan,' antwoordde ik Solange, die het gezegd had zonder me aan te kijken, zonder ergens op te rekenen, in zichzelf gekeerd, 'Chefraoui woonde hier nog niet, dus nog iets langer, vijfenzeventig, zesenzeventig.'

Ja, dat was het. Hij moest afgehaald worden van de trein en ik was de klos omdat geen van zijn broers het wilde doen. Ik zie me nog zitten, in de Ami 8 met zakken cement achterin, want ik had net de platen klaar om een terras aan te leggen, en ik weet nog dat hij me nauwelijks begroette toen hij met zijn spullen in de auto stapte, met de oude houten koffer en een grote plastic tas vol opgerolde dikke truien die niet meer in de koffer pasten, alsof we elkaar nog maar pas gezien hadden.

'Blijf je lang?'

Hij wierp alleen een verbaasde blik over zijn schouder op de zakken cement en mompelde toen: 'Weet ik niet. Misschien. Vast wel.'

Daarna niets meer. Stilte. Na vijftien jaar. En ik aarzelend, afwachtend: 'En Mireille?'

Het enige antwoord was de motor van de Ami 8.

Hij was toen al harder dan vroeger, zodra hij terug was zei ik tegen mezelf: hij spoort niet, er is iets mis, zijn ogen zijn te blauw, bijna doorzichtig, leeg, hij heeft nu net zo'n snor als zijn vader vroeger en hij is zo nors als de oude mannen van hier.

'Weten jullie nog hoe hij vanaf het moment dat hij terug was, nooit ergens antwoord op gaf, zelfs niet op vragen over Mireille, hij zei geen woord over waarom hij haar had laten barsten, zijn eigen vrouw en zijn twee kinderen, ja, zijn kinderen, Solange, zelfs jou heeft hij daar nooit iets over verteld, hè, over zijn kinderen, hij is weggegaan en heeft zijn kinderen achtergelaten en daar heeft hij nooit iets over gezegd. Maar hij was ook zo arrogant, achter zijn rimpels en zijn bleke, droge huid. Met zijn achterovergekamde haar dat vet en sluik in zijn nek viel. En die vage zweetlucht die om hem heen lag alsof hij in zijn kleren had geslapen. Ik hield mezelf voor dat hij misschien al een paar dagen onderweg was, dat hij lang had geaarzeld alvorens te besluiten bij ons aan te kloppen, bij de mensen van hier, en zijn verleden – anders gezegd, zijn moeder – weer onder ogen te komen.'

Ik weet dat Solange niet luisterde. Ze bedacht wat ze ging doen, wat ze dacht dat ze moest doen. Dat was naar huis gaan en Chefraoui bellen.

En wij gingen met haar mee. Twintig minuten later zaten Nicole en ik bij haar in de keuken en luisterden we naar Solanges stem op de gang.

Ze stond met haar rug naar ons toe, we zagen hoe ze daar stond, gebogen, met haar nek over de telefoon en haar hand om de hoorn. We moesten naar haar blijven kijken, haar ondersteunen, reageren als ze zich naar ons toe draaide voor steun, alsof we konden horen wat Chefraoui antwoordde; aan het begin van het gesprek stond ze een beetje in elkaar gedoken om moed te verzamelen om het nummer te draaien en de bel te horen overgaan – de bel ging vaak over, wij zaten al in de keuken, ik weet nog dat ik Nicole drie of vier keer water inschonk en hoe de fles van veel te dun plastic bijna kapotging tussen mijn vingers, en toen de stem van Solange, haar blik en de manier waarop ze zich naar ons toe draaide met wijdopen ogen en een stem die trilde toen ze wat moest zeggen: 'Ja. Ja, mag ik je vader even?'

'Ja, Saïd, ik ben het, Solange.'

'Hoe gaat het? Met de kinderen, je vrouw, eerlijk zeggen, hoe gaat het ...?'

'Echt? Weet je het zeker ...'

‘De gendarmes en de burgemeester zijn geweest, ze hebben alles aan mijn neef verteld. Ze zeggen ...’

‘Ja, Saïd, dat weet ik. Saïd, ik vind het zo ...’

‘Je vrouw, je kinderen, waren je kinderen erg bang? Wie nam er net op? En je vrouw, kunnen we iets doen, weet je zeker dat het gaat? Echt? Ik begrijp het niet. Waarom hij zoiets doet, ik snap het niet, ik weet niet wat er in zijn hoofd omgaat, ik vind het echt, o, weet je, ik wou ...’

‘Nee, nee, Saïd. Ik weet het niet, Saïd. Ik ...’

‘Ze hebben gezegd dat ze morgenochtend in elk geval naar hem toe gaan en ik heb besloten dat ik met ze meega. Rabut ook; we gaan naar hem toe en dan zal hij toch wel iets moeten zeggen en zijn excuses aanbieden; nee, echt, daar sta ik op, hij is dan wel mijn broer maar dit pik ik niet, nee, dat kan niet, dat wil ik ook niet, snap je, het is toch niet normaal ...’

‘Saïd, ik weet dat je geen trammelant wilt, maar jij maakt toch ook geen trammelant ...’

‘Dat is lief van je, Saïd, maar wat wil je dan, en je kinderen, eerlijk zeggen, hij heeft ze toch niet aangeraakt hè, echt niet hè, dat zou je toch wel zeggen, hè, dat zou je toch wel tegen me zeggen ...’

‘Je vrouw. Ja. Ze huilt. Nu huilt ze. Ik.’

‘Ik weet niet goed wat ik moet zeggen. Nee, híj maakt trammelant. Jij niet, ik zie niet in waarom jij ...’

‘Nee, nee, nee.’

‘Nee.’

‘Saïd.’

‘Tja, als je dat liever hebt, maar ik vind dat hij zijn excuses aan jou en je vrouw moet komen aanbieden en ...’

‘Ja, dat weet ik.’

‘De gendarmes en de burgemeester willen dat je aangifte doet. Ze komen straks weer naar je toe om jullie over te halen, en eerlijk gezegd ga ik je niet vragen om het niet te doen, dat kan ik niet, ik vind het verschrikkelijk voor Bernard, maar dat doe ik niet.’

Toen viel er een lange stilte. Een lange tijd waarin ze treuzelde met ophangen. En daarna nog een lange, zware tijd waarin ze weer naar ons toe liep en ons strak aankeek, zonder een woord te durven zeggen of een gebaar te maken – zij die gewoonlijk geen moment stilzat en altijd opruimde, dingen verplaatste, de tv aanzette, het geluid harder zette, een ander kanaal opzocht. Maar nu deed ze de tv niet aan. Ze bleef met afhangende schouders voor ons staan zonder iets te zeggen, toen bewoog ze haar hoofd heen en weer alsof ze nee schudde, alsof ze nee zei tegen zichzelf, alsof iets in haar nee wilde zeggen, alsof ze eindelijk, eerst nog zachtjes, als in een zucht die van tussen haar lippen kwam, nee zei, nee, alsof ze er eindelijk in slaagde een smalle ruimte in haar huid open te maken, zo klein en dun dat je het nauwelijks zag.

'Ik weet nog dat in het begin, toen Saïd er nog maar net was, toen we nog maar net samenwerkten, dat de mensen er niets van zeiden, dat het allemaal prima ging, maar dat we toen op een dag een personeelsvertegenwoordiger moesten kiezen voor de personeelsraad van het gemeentehuis of zo. Ik weet nog dat niemand wilde. We waren op het gemeentehuis. Er was een vergadering. Alle mensen van de gemeente waren er. We kenden elkaar allemaal en niemand wilde zich kandidaat stellen, want je weet dat zo'n functie tijd kost en bovendien moet je het goed doen; en ik herinner me nog wat een commotie het gaf toen Saïd zei dat hij het wel wilde doen. Dat moment, iedereen, hoe moet ik het zeggen, heel ongemakkelijk, heel stil, iets in die mensen, in hun blik, of nee, iets wat in de lucht hing misschien, en toen zei de dikke Bouboule, met zijn jongensachtige glimlach en zijn bolle gezicht met plooien rond de ogen en onder de kin, wat alle anderen dachten en waarvan niemand precies kon bevatten wat het allemaal betekende, alsof ze eigenlijk niet beseften wat er gebeurde.'

Haar stem toen ze vertelde dat ze Chefraoui niet als vertegenwoordiger hadden gewild. Hij had zich een klein beetje verzet, heel even maar, ze zag dat hij lichtelijk geërgerd was, hij uitte zijn ongenoegen en vooral zijn verbazing een paar keer, maar steeds zachter, steeds onzekerder, alsof hij zich afvroeg of hij die stilte en ongemakkelijkheid eigenlijk niet zelf veroorzaakt had, alsof hij langzaam begon te twijfelen, alsof hij zo dicht bij ons stond dat hij net als de rest begon te denken dat het abnormaal was dat híj aanbood om ons te vertegenwoordigen, dat het onzinnig, tactloos, bijna boosaardig was dat hij beweerde dat hij net zo hard werkte als de anderen, dat hij net zoals de rest was en net als wij belasting betaalde.

Hij had even geaarzeld en daarna had hij gezwegen. Iedereen luisterde naar de stilte die alleen werd doorbroken door het toetsenbord van de schrijfmachine van de receptioniste van het gemeentehuis.

Zo bleven we alle drie roerloos zitten, en natuurlijk stond het beeld van Chefraoui en Houtvuur tussen ons in, met daartussenin al snel het beeld van de broche in het nachtblauwe doosje.

'Wat heb je met de broche gedaan?'

'Die ligt op de eetkamertafel.'

Solange gaf Nicole antwoord zonder haar echt aan te kijken, uitgeput als ze was door het telefoongesprek en Chefraoui's stem, uitgeput door de gebeurtenissen van de dag en haar pogingen om het te begrijpen, om uit te vinden hoe ze moest reageren. Toen stelde ze voor om de juwelier te bezoeken om erachter te komen hoe Bernard betaald had; en zo kwam ze op de anderen, de rest van de familie, en ze moest erkennen dat die gelijk hadden gehad dat ze hun woede de vrije loop hadden gelaten. Het kwam er zomaar opeens uit bij Solange. Hoe hij met die broche in zekere zin zijn jarenlange minachting voor hen had laten zien, een minachting waarvan ze wel wist dat die er was, omdat de anderen haar dat tot vervelens toe vertelden, maar die ze nooit had willen zien.

'Toch, Rabut? Jij hebt het altijd al gezegd.'

'Ja, ik heb het vaak gezegd, dat klopt, ik heb gezegd hoe je broer is, jij weet ook hoe hij is.'

En ik dacht: wat moet ik zeggen, wat kun je zeggen, hoe geschokt ik was toen hij hier weer ging wonen, in de bouwval van zijn oudoom tegen de helling, of hoe geschokt ik was toen ik zag dat er tussen de ingelijste foto's aan de wanden geen foto's van zijn eigen kinderen hingen, nee, er hingen geen foto's van zijn kinderen maar alleen maar van het kleine meisje met wie hij in Algerije gespeeld had – o god, het komt allemaal weer boven, nu denk ik weer aan dat meisje met die haarwrong en die Arabische naam die ik vergeten ben, haar muiltjes en haar tot de nek toe dichtgeknoopte jasje, en de foto's van haar, die foto van voren waarop ze zo ernstig en toegewijd kijkt, in het midden van het beeld, voor het raam van een huis (een wild bloemperk en een afgebladderde muur, door het open raam zie je een gordijn, zij op een step, met haar gezicht een beetje naar rechts gedraaid en haar schaduw die op het grind valt. Ik herinner me de achtergrond, de primitieve step en het ernstige, verlegen meisje); er hingen nog een paar andere foto's omheen, maar deze was uitvergroot, net als een andere van datzelfde meisje op haar step maar dan rijdend, je ziet haar van opzij en ze kijkt naar beneden, Bernard houdt haar bij de schouders, zijn ene hand is zichtbaar, de andere, aan de andere kant, niet. Hij draagt een baret en is het meisje geconcentreerd aan het helpen. Ik herinnerde me het gebouw waar ze voor stond heel goed, net als de berghelling en het struikgewas, de witte lucht, de cementen tegels waar ze overheen reden, en mijn schaduw helemaal onderaan, mijn hoofd, mijn handen en het fototoestel, samen één vorm, als een kruipend dier.

De oude foto's waren vergeeld, ze hadden brede, gekartelde randen; er hing niet één foto van zijn eigen kinderen bij. Ik was enorm geschokt. Geen enkele foto van zijn vrouw en kinderen, maar wel een van zijn vrienden uit Algerije, de foto waar hij met Idir op staat. Ze stonden naast elkaar op de foto (deze was niet uitvergroot), een grijs stalen lijstje met daarin Idir en Bernard die poseren op een plein met alle blauw-witrode vlaggen tegen de witte lucht die je daar hebt in de omgeving van Oran – ja, ik was geschokt toen ik zag dat Bernard die foto's wel had ingelijst en opgehangen, maar dat er geen van zijn eigen vrouw en kinderen hing ... Tja, van zijn vrouw, dat was nog tot daaraan toe, maar van zijn kinderen – hoe is het in godsnaam mogelijk dat je je eigen kinderen zo veracht dat je ze het liefst vergeet? Had hij ooit iets over zijn kinderen verteld, een woord over hen gezegd? Nee, natuurlijk niet. Hij was hier op een dag komen aanwaaien zonder iemand in te lichten of zelfs maar uit te leggen waarom hij uit Parijs vertrokken was en zijn vrouw en kinderen in de steek had gelaten. Iemand die zoiets deed, was tot alles in staat. Over zoiets kon je niet praten, daar kon je het niet over hebben, want de dingen die je wilde zeggen, die je zou willen zeggen, die je misschien zou moeten zeggen als je – nou ja, goed, laat ook maar, al die beelden, die herinneringen – daar had je geen woorden meer voor, dat wisten we, Bernard en ik, allebei toen hij hier meer dan twintig jaar geleden kwam aanzetten en ik die foto's uit Algerije in het huis van zijn oudoom zag hangen.

En toch had hij ze durven inlijsten en ophangen, durfde hij ze te vertonen zonder er verder een woord over te zeggen, zonder uitleg, alsof het vakantiekiekjes waren, en zonder er iets over tegen mij te zeggen, ik die hem daar toch zo vaak gezien had, die erbij was geweest, die toen met hem ... Nou ja goed, laten we zeggen, dat je het zomaar, zonder dat je er iets over zegt, goedvindt dat je elkaar na jaren terugziet en de foto's dan tussen ons aan de muur laat hangen, de foto's die nog eens benadrukken hoe hard we zwijgen, terwijl ik zo langs mijn neus weg zou kunnen vragen: 'Heb je nog er weleens nachtmerries over?'

Maar ik vroeg niets, gewoon omdat ik begreep dat er niet één foto van zijn kinderen bij was, niet één recente foto, alleen maar ingelijste plaatsen en beelden die ik van vroeger kende, sommige van die foto's had ik zelf gemaakt, er stonden mensen op die ik daarginds ook gekend had. Idir, trots poserend in zijn uniform, op het plein met de blauw-wit-rode vlaggen op een veertiende juli, terwijl hij korte tijd later op diezelfde plek zou omkomen, maar dan zonder dat blauw-wit-rood op de achtergrond.

Niet één foto van zijn kinderen.

En ik durfde er niets over te zeggen toen we een matras, lakens, dekens en wat meubels voor hem hadden opgescharreld, en ook een oude kachel, nee, ik had hem niets durven vragen, niet eens 'Waarom ben je teruggekomen?'

'Waarom vertel je niets over je kinderen?'

'En je vrouw? Ik heb je vrouw tegelijk met jou leren kennen, daar in Oran. Vertel eens, wat is er van Mireille geworden?'

Maar ik wist dat hij nooit antwoord zou hebben gegeven.

Daar stond hij, kalm, beheerst, bezig om het huis van zijn oudoom zo goed als hij kon op te knappen, hij haalde cement om de muren, het plafond en het dak dat op instorten stond te verstevigen. Daar wilde hij blijven wonen, op die afgelegen plek, ver van alles behalve van het huis van zijn moeder en van La Migne. Maar zelfs dat vertelde hij niet. Hij was de hele dag bezig het huis op te knappen, en al gauw zagen ze hem ook rond zijn moeders huis zwerven, bij haar binnen proberen te komen, wachtend en kijkend, loerend op een gelegenheid om haar te spreken. Iedereen wist ook dat ze al heel snel haast bang van hem werd en dacht dat ze hem 's nachts om het huis hoorde lopen.

Ze had hem nooit willen spreken.

En, Solange, ben je hem daarom gaan helpen en beschermen? Luisterde je daarom niet toen ze zeiden dat hij knettergek was, dat hij dronk, dat hij 's nachts door mensen met een geweer in het bos werd gezien (waarop jij dan koppig antwoordde: 'En wat doen die mensen daar zelf dan, midden in de nacht in het bos?').

Ook bracht hij hele dagen en avonden door aan de bar, wankelend en wel, tabak pruimend, rochelend van onder zijn snor, snoevend dat hij iedere Noord-Afrikaan zou doden, alle Noord-Afrikanen ging uitroeien, ons zou bevrijden van de Noord-Afrikanen, zoals hij het noemde; en hij had het zelfs weleens over Chefraoui, die hier toen net was komen wonen, en dan beloofde hij dat hij ons van hem ging verlossen.

Zulke dingen zei Bernard. Toen hij Houtvuur werd.

We deden allemaal alsof we hem niet hoorden. Alsof we dachten dat het doodgewone dronkemanspraat was van iemand die zowel door alcohol als door haat en wrok werd verteerd. Maar bij hem kwam daar ook nog de bitterheid bij van iemand die het hoog in de bol heeft en zijn pretenties een voor een moest laten vallen, alsof het evenzovele maskers zijn die niet meer goed op zijn gezicht blijven plakken.

Maar dat hij gevaarlijk was, nee. Dat dachten we niet. De anderen niet, in elk geval. Want ik bedacht weleens dat ik er bang voor was, ik denk dat ik weleens bang was, nou ja, ik denk dat ik me bepaalde dingen van hem herinnerde, als hij zijn agressie had geuit, echt niet alleen de agressie waar Février me over verteld had, toen we hier alweer jaren woonden en hij mij en nog een paar kameraden was komen opzoeken.

'Dus wat er vandaag gebeurd is ...'

'Rabut, toen hij terugkwam wilde de Oude Vrouw hem niet eens zien.'

'Ja, Solange, dat weet ik.'

'Haar bloedeigen zoon, die ze al vijftien jaar niet gezien had.'

'Ik weet het. Hij was getrouwd en jij was de enige aan wie hij dat verteld had.'

'Ze had hem kunnen vergeven. Moeten vergeven. Je kind is je kind. Ik denk vaak: als mijn zoon ... Ik vind dat een zoon, voor zijn moeder, ik denk. Nicole.'

'Ja.'

'Ja, dat is het belangrijkste en zelfs de Oude Vrouw, zelfs zij had er verdriet van. Toen Vader was gestorven kwam hij niet voor de begrafenis. Hoe kon ze hem dat nou vergeven, toch, Rabut? En hij heeft ons nooit voorgesteld aan zijn vrouw en kinderen, zijn eigen familie, da's toch idioot?'

'Goed, Solange, maar toch is hij teruggekomen. Hij is hier komen wonen omdat hij zijn moeder wilde zien en hier opnieuw wilde beginnen. En misschien ...'

'Wat wil je nou nog, Rabut? Het is voorbij. Over en uit ...'

'Nee, Solange, het is niet voorbij. Ik herinner het me als de dag van gisteren, steeds beter zelfs, hoe langer geleden, hoe helderder het wordt: toen hij hier terugkwam zei hij geen woord, tegen niemand. Hij knapte alleen het huis van zijn oudoom op. En ik weet nog dat in de schuur ... weet je nog, die schuur, Solange, ja natuurlijk weet je die nog, jouw bruiloftsmaal, waar we allemaal onze oude rotzooi achterlieten, fietsen,

Mobylettes, zelfs de Aronde van mijn vader, die staat er nog steeds; hij had alles best kunnen wegdoen, alles leegmaken, maar nee, nee, dat vooral niet, alsof hij teruggekomen was om de draad weer op te pakken waar hij vijftien jaar eerder was gebleven toen hij alles hier achter moest laten, en vooral zijn geld, dat geld waar hij helemaal gek van geworden is, Février zei het nog ... Nicole, herinner je je Février? Dat is ook alweer lang-geleden, eind jaren zestig was het dat die hier langskwam, daarna hebben we elkaar nooit meer gezien ... ja, zijn poen en zijn moeder, daar had Bernard het continu over toen hij in Algerije aankwam, niet over het uniform dat ze hem hadden opgedrongen of over al die uren in de trein of de doorvoerkazernes, de zee, de boot, het feit dat we maar een kilometer of twintig van elkaar vandaan zaten, allebei aan zee, ik in de stad, hij samen met Février lekker rustig aan de voet van de heuvels om er een woud aan gas- en benzinetanks te bewaken – het leek wel alsof hij dat allemaal niet doorhad en alleen maar bezeten was van het geld dat hij gewonnen had in de loterij, zijn goudmijntje dat hij bij zijn moeder moest achterlaten; en dat zij ongetwijfeld een manier zou vinden om het op te maken, dat we daar maar wel op moesten rekenen. Vreselijk vond hij dat. Hij was toen al stapelgek, veel te ernstig, net als toen hij als kind naar de mis ging, dan nam hij alles ook veel te zwaar op, te star was hij, niet in staat om water bij de wijn te doen ...'

'Nee, Rabut, dat is niet waar.'

'Jawel, Solange. dat is wel waar, ik weet het toch, ik heb het zelf gezien, Mireille zou het bevestigen, want de eerste keer dat we elkaar troffen was in Oran, ik weet het nog, de bar, Mireille, Gisèle, Philibert en een paar anderen. Ik herinner me de mensen, ik weet alles nog, hoe Mireille was toen we haar voor het eerst zagen.'

'Wat zit je nou te bazelen? Wat heeft dat er allemaal mee te maken? Helemaal niks!'

'Jawel.'

'Niet, vroeger was hij niet zo. Een man die zo lang zonder vrouw zit, daar weten jullie niets van, jullie kletsen en kletsen, maar jullie snappen niet ...'

'Solange, ik zeg niet dat ik weet wat eenzaamheid betekent ...'

'Nee, Rabut, gelukkig niet.'

'Dat weet ik, Solange.'

'Dat weet jij helemaal niet.'

En toen liep Nicole de keuken uit. Ze ging naar de eetkamer en kwam terug zonder iets te zeggen, met in haar handen het nachtblauwe doosje, waar ze niet eens naar durfde te kijken. Stilte, totdat Solange merkte dat ik strak keek naar iets wat Nicole vasthield. En toen vroeg Nicole: 'Février? Heb je het weleens eerder over hem gehad?'

'Die is hier één keer geweest, één keer maar, lang geleden, jaren geleden. Hij vertelde over de Limousin, waar hij vandaan kwam. Een grote man met een bril.'

'O. Misschien, het is al zo lang geleden. Komt het door hem dat jullie ...'

'Ja, voor mij wel. Voor Bernard en hem was het veel erger.'

En weer zo'n stilte. Misschien de ogen neerslaan. Of glimlachen. Of nog een glas water inschenken.

'Laat eens zien.'

Nicole reikte me het nachtblauwe doosje aan. Ik deed het open en keek naar de broche. Ja, een mooi sieraad. Ik haalde het uit het doosje en niemand zei nog iets, alle ogen waren strak gericht op de broche en het doosje waarin ik hem daarna teruglegde zonder een woord te zeggen, terwijl het witte licht van de neonbuis boven onze hoofden en de koelkast achter ons zoemden.

Maar toen nam Solange het woord, ze sprak zachtjes en met veel gebaren, haar hand greep het doosje en hield het voorzichtig vast, ze maakte het niet open maar hield haar ogen er niet van af, ze keek me niet aan en sloeg haar ogen niet op, ze zei alleen: 'En stel dat Saïd aangifte doet?'

Ze vroeg het zonder het echt te vragen, meer als een gedachte, een uiting van een angst die in haar opkwam en weldra over haar heen zou spoelen en haar gedachten zou beheersen, daar was ik van overtuigd. En daarom durfde ik nog niet weg te gaan, hoe graag ik ook naar huis wilde. En dan die nadrukkelijke blik van Nicole. Die blik waarmee ze vroeg om het kort te houden omdat je wel kon zien hoe het verder zou gaan, waar het op uit zou draaien als het echt diep in de nacht was en alles door de sneeuw nog stiller was geworden; de nacht die ons thuis ook wachtte en die we liever nog even uitstelden, zodat we de aangeboden kruidenthee niet afsloegen, ja graag, om onze handen te kunnen warmen aan de kop en de warmte en de geur van verbena of munt op te kunnen snuiven.

'Willen jullie misschien iets eten?'

'Nee.'

'Ik kan pizza's uit de diepvries halen, als je wilt.'

'Nee, dank je, kruidenthee is genoeg.'

Vooral niet alleen zijn, ieder met zijn eigen vragen en herinneringen, nog even blijven geloven dat we met z'n drieën een oplossing kunnen vinden met niets anders dan woorden, terwijl woorden nog niet eens in staat waren om het trillende neonlicht, het zingen van het water in de pan, het gebrom van de koelkast, het geluid van een auto ver weg op de avenue Mitterand en de honden die ernaar blaften te overstemmen; toen keek Solange me aan met een haast valse blik, en liet ze de woede die al jaren in haar sluimerde de vrije loop: 'Hé, Rabut. Rabut?'

'Wat?'

'Wat heeft Bernard jullie eigenlijk aangedaan dat jullie allemaal zo de pik op hem hebben? Nou, weet je dat wel?'

'Niks.'

'Weet je het niet?'

'Nee, niks.'

'Weet iemand het eigenlijk wel, kan iemand me vertellen waarom jij en de rest, de hele rest, hem niet kunnen uitstaan? Vooral mijn moeder. De Ouwe Vrouw, ja, voor de Ouwe Vrouw was Bernard het ergste van het ergste ... Rabut, weet je nog hoe ze naar hem keek? Ze kon hem niet uitstaan. Ze had besloten dat ze niet van hem zou houden, zoals ze ook had besloten dat ze wel van de anderen hield – van alle anderen eigenlijk; niet van allemaal evenveel, ze had haar lievelingetjes, zo gaat dat in ieder gezin, maar haar zoon, die maakte ze zwart, zonder enige terughoudendheid, ze zei zomaar tegen mensen die ze nauwelijks kende dat hij een dief en een nietsnut was. Zelfs direct tegen hem, dan keek ze hem strak aan en daagde ze hem net zolang uit tot hij reageerde, en dan had ze het excuus waar ze naar zocht om haar gelijk te halen.'

Solange zweeg even en keek me toen strak aan.

'Zelfs papa mocht hem niet zo. Zelfs papa, die zo lief was, verdedigde hem niet ... en dat snap ik niet. Ik bedoel, ik snap niet wat hij misdaan heeft dat jullie allemaal zo naar, zo wantrouwig tegen hem deden. Hij was echt niet de akeligste van mijn broers. Lang niet. Dus snap ik het niet. Ja, toen hij nog klein was kon hij goed knokken en zocht hij graag ruzie, ja, dat is zo, dat is waar, en anderen de les lezen deed hij misschien ook, misschien had hij een te grote bek, precies wat je zegt, maar daar blijft het dan toch wel bij ...'

'Nee, Solange, daar blijft het niet bij. Weet je niet meer, van je zus? Hij zat rustig zijn nagels schoon te maken met de punt van zijn zakmes terwijl zij op haar bed lag te sterven. Weet je niet meer wat hij toen zei, dat ze een slet was, dat het haar verdiende loon was, dat ...'

'Nee, Rabut, hou op.'

En Solange kwam bruusk overeind, sloeg geen acht op het kokende water in de pan op het vuur, Nicole liep erheen om de pit uit te draaien en schonk ons toen in. Solange glipte naar haar slaapkamer, aan het einde van de gang. Ik keek naar Nicole, die zich over de koppen heen boog en er het water in schonk en naar het water keek, naar de bodem van de koppen, de opzwellende zakjes in de koppen, en je hoorde het geluid van het water dat in de koppen gegoten werd, als het water van een fontein, en de damp, en het geluid van metaal toen Nicole de pan terugzette op het fornuis, en haar zucht, haar blik op de deur, en Solange, van wie we konden horen dat ze zodra ze in haar slaapkamer was het ladenkastje had opengetrokken en in een grote stapel papieren was gaan spitten.

Ze vond niet wat ze zocht. Teleurgesteld kwam ze terug, niet boos maar bleek en bedroefd, moedeloos dat ze nu in woorden zou moeten uitleggen wat een brief direct duidelijk zou hebben gemaakt. Toen ze terugkwam zei ze zachtjes: 'Van al mijn broers is hij de enige, de enige van al mijn broers en zussen die ...'

En toen: 'Hoe vaak heeft hij niet geschreven hoeveel het hem speet dat hij in zijn jeugd al die loze praatjes van de pastoors over het huwelijk en zo had geloofd. Hij wist niets van het leven. Hij wist er niks van en had er niets van begrepen, dat heeft hij me heel vaak geschreven. Ja, die kwestie met Reine. Hij heeft zich later de haren uit het hoofd getrokken van spijt dat hij haar dood had gewenst, dat hij die gemene dingen over haar had gezegd. Maar al die anderen, die hun mond hielden, dachten er precies hetzelfde over. En, Rabut, reken maar dat die nu beter slapen dan jij en ik, want voor hen is het eigen schuld dikke bult als een meisje van zeventien zo sterft; zo was het in die tijd nou eenmaal, zeggen ze dan, en ik ... waarom hebben we het hierover, waarom heb ik het hier met jou over? Ik wil het hier helemaal niet over hebben ... Allemaal oude koeien. Wat heb je eraan? Rabut, wat heeft het voor zin om erover te praten? Bernard is zoals hij is, en hij is de enige die me nooit heeft laten vallen.'

'Ik weet het niet, Solange. Ik weet niet waarom we het erover hebben.'

Ik sloeg mijn ogen neer terwijl ik begon te praten, om tijd te winnen en haar niet te dwingen om hem, haar broer, nog langer te verdedigen; maar Nicole nam het woord van me over en zei: 'Ja, maar, wat heeft hij nu dan gedaan? Wie weet wat hem nu boven het hoofd hangt!'

Solange gaf geen antwoord, nog niet, ze zweeg en wiegde een beetje heen en weer, bijna glimlachend. Daarna lachte ze voluit, met een gezicht dat eindelijk straalde.

'Ja, de hele familie is gek, altijd al geweest, vind je niet, Rabut? Vind je niet?'

Dan weer die stilte, dan weer woorden, dan weer wachten.

Die woede en opnieuw dat onbegrip. Tegen jezelf zeggen dat je in een keuken zit te wachten, dat het buiten koud en donker is, dat er ver weg in ruimte en tijd, heel ver weg, redenen zijn, verbanden, netwerken, onzichtbare zaken die tussen ons spelen en die we totaal niet begrijpen.

En bedenken dat Houtvuur vast al op ons zit te wachten, met zijn geweer en zijn wijn voor zich op tafel. Ja, je kunt er gif op innemen dat hij direct al bij thuiskomst was gaan drinken en wachten, wetende dat er uiteindelijk echt wel iemand van ons zou komen. Misschien wacht hij en drinkt hij. Of zit hij niks te doen en in het vuur te staren, in gesprek met zichzelf en zijn honden of nog steeds broedend op wraak. Of denkt hij aan zijn kinderen en zijn vrouw, aan zijn jaren in Parijs, en zegt hij tegen zichzelf dat die Parijse kinderen hem inmiddels als een dode beschouwen en dat ze zich daarom niet meer ongerust om hem maken. Of dat ze zelfs al zijn vergeten hoe hij eruitziet. Dat ze zich zijn stem en zijn uitvallen tegen Mireille al haast niet meer herinneren. We weten niet wie die kinderen zijn, wat ze doen, en of ze ooit hier zouden komen, om te horen hoe het met hun familie gaat of om rekenschap te vragen.

Want wij zijn hun familie, ook al weten ze dat niet meer en willen ze het misschien niet weten, omdat ze geleerd hebben dat ze niets met ons te maken moeten willen hebben. Ik denk niet dat Mireille het aangedurfd heeft hun ook maar iets over ons te vertellen.

Later, in de auto op weg naar huis, was het enige moment waarop Nicole en ik met elkaar spraken toen ik me liet gaan over Solange, vanwege dat idee, die plotselinge gedachte die in me opkwam: wacht even, ze ging brieven zoeken, brieven die hij haar al die jaren heeft geschreven. Hij had Solange jarenlang brieven gestuurd.

En toen hij terugkwam, ik bedoel toen hij vijftien jaar na de anderen terugkwam, toen leek het of de oorlog voor hem nog maar net was afgelopen. Want ik herinner me nog goed hoe we terugkwamen, de een na de ander. En ook hoe we al heel snel allemaal weer aan het werk gingen om er niet meer aan te hoeven denken, hoe we de draad van het leven koortsachtig oppakten, dolblij dat het afgelopen was met die verrotte oorden, de hitte, de dorst, het stof, je boeltje wassen in je helm, de kraag van je hemd schoonboenen met een oude tandenborstel, de gaten in je sokken, de bloedende tenen, die hele verrotte zooi, en je eindelijk weer vooruit kon komen en de verloren tijd probeerde in te halen, al die tijd die je daarginds verloren had; en wat ons ook geholpen had, wat mij in elk geval geholpen had, weet ik nu, was dat we op een dag hoorden dat hij niet naar hier zou terugkomen.

Alleen een telegram aan zijn ouders met de tekst: ik kom niet terug.

Het had me geholpen, echt waar, dat ik al mijn aandacht op hem kon richten en op wat iedereen wel niet over hem zei, want ze wisten dat hij de dochter van een steenrijke koloniaal had ontmoet en dat ze trouwplannen hadden. En we stelden ons hem voor in een dure buurt in Parijs, een rijkaard die zich zelfs onze namen niet meer kon herinneren, omdat niemand wist dat Mireilles vader haar nooit meer wilde zien en dat het einde van de kolonie tevens het einde van een bruidsschat betekende.

Maar ik klampte me eraan vast, en ook aan de paar cadeautjes die ik aan mijn ouders en zussen gaf, woestijnrozen, een *kahwa*-servies en een kruis van Agadez voor Nicole. Jazeker, we waren beladen met cadeaus en exotische spullen uit Verweggistan teruggekomen, met ansichtkaarten en sterretjes in de ogen, terwijl we van binnen alleen maar dachten: laten die oude lui nu in godsnaam niet weer beginnen met hun ...

Nou, het was hoe dan ook geen Verdun.

En ook die steeds irritantere vragen waarop niemand ooit antwoord wilde geven, over het weer, de landbouw, de vrouwen,

Hoe zijn die vrouwen nou eigenlijk onder hun sluier?

Al die schuine opmerkingen waar ik van walgde,

Is het waar dat moslimvrouwen hun kut scheren?

Dat soort dingen.

En de woestijn, heb je de woestijn ook gezien, en kamelen? Hoe groot is een kameel?

Enzovoort.

Dus begon je maar over hem, over Houtvuur, Bernard, dan hoefde je het helemaal nergens over te hebben.

De rest had ik van Solange: getrouwd in een voorstad van Parijs waar hij ook was gaan wonen.

Daarna duurde het een paar jaar – hoeveel weet ik niet meer precies, in elk geval minder dan tien, zeven of acht misschien – totdat ik bericht kreeg van Février. Février had namelijk besloten om al zijn oude makkers op te zoeken. Hij wilde zijn kameraden terugzien, althans degenen die hij zich herinnerde en met wie hij nog contact had, een handjevol dus. En toen hij twee dagen bij ons logeerde, had hij me verteld hoe hij Bernard en Mireille in hun huis had aangetroffen.

Ja, Février had het me verteld toen hij me kwam opzoeken vanuit zijn wens om de kameraden van vroeger nog eens terug te zien en iets af te ronden, zoals hij het noemde, waar hij nog niet klaar mee was.

En bij god, wat had die Février me veel verteld, allemaal dingen waar ik geen flauw vermoeden van had.

En mijn woede in de auto, jegens Solange die alles al die jaren had vermeden, die met een vage knik had bevestigd dat ze wist dat hij in de Renaultfabrieken werkte, dat hij twee kinderen had, dat hij in een flat van de sociale woningbouw woonde, dat hij en zijn vrouw beiden het contact met hun familie waren verloren, dat ze geen vrienden hadden, dat het soms moeilijk was maar dat het wel ging.

Terwijl het natuurlijk helemaal niet goed ging en hij daar niets van tegen Solange had gezegd. Want ook zij was heel verbaasd geweest toen hij op een dag kwam aanzetten, zonder iets uit te leggen.

En we probeerden het te begrijpen, allemaal.

Ik dacht weer terug aan de vreemde dingen die Février over Mireille had verteld, dat Mireille in zo'n arbeidersflat niets meer had van het hautaine, zelfverzekerde meisje dat we in Oran hadden gekend, dat sinaasappelsap met een rietje dronk of liedjes van Sacha Distel of Dario Moreno floot terwijl ze op een kruk haar nagels zat te lakken of op de pootjes van haar grote groene zonnebril kauwde.

Zo was ze helemaal niet meer, had Février me verteld toen hij me was komen opzoeken en we ons 's avonds allebei met rode wijn een flink stuk in de kraag hadden gedronken, genoeg wijn om die mooie belofte die we onszelf hadden gedaan te verbreken, namelijk dat we het niet over toen zouden hebben. Hij begon over Bernard en Mireille, vertelde dingen waar ik niets van wist, hoe hij de tortelduifjes uit Oran in Parijs had opgezocht en dat ze nu lang niet meer zo knap waren, lang niet meer zo jong, eerder oud en triest, en elkaar allerlei blikken – dodelijke blikken, zeg dat wel – en vernietigende woorden naar het hoofd slingerden, en elkaar continu verwijten maakten. Je had ze eens moeten zien, zei Février, haar vooral, zo verzuurd, zo bitter, zwanger van haar tweede kind. Een heel andere vrouw dan het verleidelijke krengetje om wie we Bernard allemaal benijdden: ja, Rabut, jij was toch ook jaloers op je neef, hè?

'Pas op, je zit in de berm! Pas nou toch op, je rijdt te hard.'

'Ja, ja, rustig maar.'

Ik nam wat gas terug. Nicole had luid gesproken, met plotseling angst in haar stem, omdat ze voelde dat de auto naar rechts weggleed en veel te hard ging. Ze had een hand op het stuur gelegd om bij te sturen.

'Het gaat al', zei ik.

Voor ons de lichtbundel, en daar voorbij was er in het donker geen mens, geen auto te zien. Alleen een paar huizen langs de weg, ver uit elkaar. Verderop een paar rotondes en vooral sneeuw, sneeuw die in kleine, woedende vlokjes, die als stofdeeltjes of als een zwerm vliegjes onder een straatlantaarn in de zomer, alle kanten op stoof in de wind. Dan het geluid van de motor en ons beider ademhaling in de cabine. Stilte, want eindelijk hielden we ons gedeisd, Nicole keek naar rechts, misschien naar haar spiegelbeeld, de duisternis, de sneeuw, met de armen over elkaar, terwijl ik recht voor me keek en me probeerde voor te stellen wat er morgen ging gebeuren als we Solange en de gendarmes op het kerkplein zouden treffen om naar Bernard te gaan, wat we zouden zeggen en doen, in de kou, voordat we naar zijn huis gingen.

En ik voorzag al dat Solange en ik te vroeg zouden komen.

En misschien zou ze me zelfs voor die tijd al bellen om te vragen of het echt wel nodig was dat de gendarmes meegingen. Of we niet met ons tweeën. Of zelfs. Zij alleen. Of zij hem alleen niet zover zou kunnen krijgen om – tja, om wat te doen, dat wist ze ook niet precies. En dan zouden er stiltes vallen door de telefoon. Ik zou de twijfel horen in haar stem, die trilde in haar keel, een aarzeling, de vermoeidheid van de korte nacht waartegen ze moest strijden en die haar nu 's ochtends totaal van streek bracht zodat ze de ene koffie na de andere dronk om bij haar positieven te komen. Ze zou willen dat we er na een nachtje slapen allemaal hetzelfde over dachten: dat het het beste was om niets te doen, dat de gendarmes alles zouden laten varen, Chefraoui alles zou vergeten en Bernard uit zichzelf zijn excuses zou aanbieden. Dat wilde ze geloven, dat zou ze proberen te denken, ze zou voorwenden dat het een mogelijkheid was.

Tijdens het rijden zag ik weer hoe Solange ons naar de deur bracht en buiten bij de voordeur bleef staan, hoewel we zeiden dat ze gauw naar binnen moest gaan vanwege de kou. Ze bleef staan kijken toen we naar de auto liepen, die voor het huis stond.

We zagen haar staan in het gele licht van het lampje op de veranda dat haar lichaam bescheen: de omslagdoek om haar schouders en de armen stijf tegen de borst; ze keek naar ons en zag ons vermoedelijk niet eens meer, was al ver weg met haar gedachten, angsten en verwachtingen, en we lieten haar alleen in die o zo lange nacht die voor haar lag, toen ze er uiteindelijk in berustte dat ze naar binnen moest, het buitenlicht uit moest knippen en de deur op het nachtslot doen.

In de auto vroeg ik me af wat Solange zou doen: zou ze het nachtblauwe doosje op de keukentafel zien liggen, zou ze het van de tafel vegen met een handgebaar of enkel met een blik of zou ze ervan afblijven? Of zou ze het behoedzaam oppakken, zoals je doet met granaten uit voorbije oorlogen die je onschadelijk moet maken, en terug naar de eetkamer brengen, of zou ze het gewoon helemaal negeren en naar de badkamer lopen om een nachtjapon en kamerjas aan te trekken, zich over te geven aan haar vermoeidheid of, waarom ook niet, in de salon de tv aanzetten zonder zich zelfs maar af te vragen wat voor programma's er op zaterdagavond worden uitgezonden, en naar de beelden kijken zonder ze te begrijpen of zelfs maar te zien?

Ze kan het beste gaan slapen, zich niet laten overspoelen door alle gedachten, al die nieuwe gedachten, hoeveel per minuut?

Misschien geen enkele.

Maar de woede zal haar lichaam stijf maken zodra ze in slaap probeert te vallen, zodra andere beelden zich met de beelden van die dag vermengen, andere zinnen, andere woorden die ze zal proberen op te roepen: haar broer op de trap in het souterrain, de vrouw van Chefraoui die zich verzet, die tegen hem schreeuwt en vecht.

Ze zal haar ogen sluiten om niets meer te hoeven zien en daardoor juist steeds meer zien. Ze zal het laken en de dekens hoog optrekken om de stemmen van de Uil en Jean-Jacques niet te hoeven horen en ze daardoor nog veel duidelijker horen, totdat het lichamelijk pijn doet, en dan zal ze het opgeven en het bedlampje maar weer aanknippen dat ze in haar optimisme heeft uitgedaan, alsof ze nooit had gedacht dat de nacht haar slapeloosheid zou brengen.

Ze zal even rechtop in bed gaan zitten. Wachtend tot de slaap komt. Maar die zal niet komen. Zuchtend zal ze zichzelf horen zeggen dat hij echt niet altijd gewelddadig is geweest, onze Bernard. Ze zal zichzelf horen liegen, ze zal het met zichzelf op een akkoordje gooien, ze zal andere stemmen horen mompelen dat ze liegt.

Dan zal ze wachten, rechtop in bed voor zich uit zitten staren, en uiteindelijk zal het zo laat zijn dat ze denkt dat haar lijden bijna ten einde is en ze snel in slaap zal vallen. Dan doet ze het licht uit, gaat ze liggen, schudt het kussen op, drinkt eerst misschien nog een glas water. Haar hart zal nog even blijven bonken in een vlaag van opstandigheid over het onrecht dat Bernard in haar ogen altijd al wordt aangedaan, zijn eeuwige pech, ja, Solange, wat een pech – en aan al deze dingen zal ik nog steeds denken als de auto alweer stilstaat voor ons huis.

Solange zal dus vast net zo slecht slapen als ik.

Ze zal Bernard horen. Ze zal hem horen zoals ik hem gehoord heb, zoals je hem in 1960 kon horen en zien, toen hij heel vroeg in de morgen in burger aankwam bij het wervingsbureau in Marseille na een tobberige nacht waarin hij onafgebroken op wraak zon. Je kon je voorstellen hoe verbaasd hij geweest moest zijn dat de trein zo langzaam reed, dat ze geen voorrang kregen met zo'n bestemming. Hij zal zich er wel aan geërgerd hebben. Hij houdt niet van langzaam.

Het gaat donker worden, het is donker, ook al interesseert dat hem niet zo, de nacht, de trein, de oproep die hij verfrommeld heeft en die vast in een van zijn zakken zit – gewoon de zoveelste verplichting, wat hem nu overkomt is gewoon een verplichting erbij, dat houdt hij zichzelf voor om er verder niet aan te hoeven denken, hij wil zich immers kunnen richten op zijn zorgen en zijn boosheid.

Daarom probeert hij zich af te zonderen, om steeds dezelfde woorden te kunnen blijven herhalen, om te piekeren over het geld dat zijn moeder geheid zal gaan uitgeven, zonder enige gêne over het feit dat ze het van hem gestolen heeft, ze gaat mijn geld opmaken zonder me iets te vragen en zonder iets te zeggen, zal hij denken, al die centen die ik gewonnen heb – het geld waarmee hij aan zijn familie meent te kunnen ontvluchten om werk te vinden als monteur, als wat dan ook, als het maar ver weg is.

Hij zit heel gehoorzaam in de trein, zo te zien, zonder enige opvallende gezichtsuitdrukking, met in zijn houten koffer wat kleren, een misboek en een paar spullen zonder waarde waar hij aan hecht, met een scherpe vouw in zijn broek en knellende, bijna nieuwe schoenen aan zijn voeten. De veters heeft hij losgemaakt en het lipje omhooggeslagen, maar hij durft zijn voeten er niet helemaal uit te halen. Hij is goedgeschoren en zijn huid is zo glad en wit als een winterdag of als de huid van iemand die zich bijna nooit scheert. Hij kauwt op een kauwgompje dat hij voor het vertrek heeft gekocht. Het pakje zit in zijn zak, bij zijn sigaretten.

Maar hij kauwt en herkauwt vooral zijn woede jegens zijn moeder, het gevoel dat hij erin geluisd is; daar stond hij dan, met al zijn centen, met zijn cheque maar zonder bankrekening, zodat zij de poen moest innen. Want hij was minderjarig. Hij is nog minderjarig.

Hij had het moeten voorzien en iets met iemand moeten regelen. Maar hij was erdoor overvallen, het was te onverwachts geweest; hij ziet nog voor zich hoe zijn moeder daar stond, hoe ze het woord nam en zei dat ze de cheque maar op haar naam moesten uitschrijven, omdat zij de gezinsrekening immers beheerde. Bernard heeft nog geen eigen rekening, die krijgt hij als hij meerderjarig wordt en echt gaat werken, niet wat hij nu doet, een beetje meehelpen op de boerderij of een karweitje voor de buren doen. Maar zij beheert zijn geld. Zij krijgt betaald als hij iets voor de buren doet; hij betaalt geen huur, betaalt niet voor zijn eten, doet zijn eigen was niet – logisch dus dat zij betaald krijgt voor zijn werk. Als hij meerderjarig wordt, zal dat veranderen. Maar totdat het zover is, moeten de cheques op haar naam worden uitgeschreven. Ze heeft hem geld meegegeven in een envelop, dat komt vast van pas, zegt ze. En ze zullen hem elke maand wat toesturen, want iedereen weet dat een soldaat niet veel verdient.

Daar moet hij weer aan denken. Dat kreng maakt natuurlijk alles op, om te beginnen koopt ze twee stuks vee, wat ze al maanden van plan is maar waar ze het geld niet voor had, wat zonde, al dat geld dat ze aan melk verspilt, en ze zou de twee andere beesten kunnen vervangen, en dan vindt ze nog steeds dat ik dankjewel moet zeggen voor de kruimels die ze me elke maand toestuurt, denkt hij bij zichzelf.

Dat komt er nou van als je je mond houdt. Hij neemt het zichzelf kwalijk dat hij niets gezegd heeft en zich als een melkmuil heeft gedragen, zich heeft laten inpakken door de envelop en zich van zijn stuk heeft laten brengen door dat onverwachte gebaar van haar, dat ze hem geld gaf om zijn soldij aan te vullen. Het is vreselijk om minderjarig te zijn, afhankelijk van je ouders, te jong om te stemmen maar oud genoeg voor de *djebels*.

De djebels, wat weet hij daar nou van? Gewoon een woord dat hij op een zondagochtend op de markt heeft opgevangen.

En nu is hij vertrokken, met een langzame trein vol jonge mannen zoals hij, die schaapachtig zitten te grinniken of te zwijgen. Hij bekijkt ze vol argwaan. Hij is niet van plan om een woord te zeggen, en al helemaal niet om antwoord te geven aan de jongen die hem vraagt of hij weet hoe het er daarginds aan toegaat, of hij weet wat waar is en wat niet – snijden ze je daar echt zomaar de keel door, of zijn dat praatjes om de rekruten bang te maken?

Hij zegt dat hij het niet weet, maar voegt er niet aan toe dat het hem ook geen zak kan schelen.

Hij voelt zich er niet bij betrokken. Misschien trekt hij een gezicht dat van alles kan betekenen. Zijn hoofd is bij andere zaken – wat ze gaat doen met zijn geld, ze zal het zeker uitgeven, dat kreng, hij begrijpt uitstekend dat ze nu duidelijk weet hoeveel pijn ze hem kan doen.

En de hele nacht zit hij in de schommelende trein te zinnen op de wraak die hij vroeg of laat zal nemen, hij zal het geld terugkrijgen, bezweert hij zichzelf; hij belooft, belooft dat hij er elke dag aan zal denken, ik hou vol, zegt hij tegen zichzelf. En hij denkt dat de maanden die voor hem liggen zijn vastberadenheid niet zullen aantasten: hij zal zijn diensttijd uitzitten en daarna komt hij terug, punt uit.

En als de trein 's morgens tot stilstand komt, zijn ze niet in Marseille maar ergens op een klein station. Drukte, allemaal drukte die hij allemaal niet zo goed begrijpt. Alsof hij een vreemdeling is in een land waarvan hij de taal en de gebruiken niet kent. Hij slaapt niet, maar wakker is hij ook niet. Hij hoort het geluid van opengaande deuren, metaal op metaal en dan voetstappen, stemmen van mensen die lachen en al kennis hebben gemaakt, die zeggen dat ze vrienden voor het leven zijn en elkaar binnen de kortste keren zullen vergeten, ergens in een land waar ze zich geen enkele voorstelling van kunnen maken.

Hij loopt met de stroom mee, maar langzaam, hij voelt in zijn broekzak of zijn sigaretten en de kauwgom er nog zijn. Hij controleert zijn koffer, je weet maar nooit, hij heeft vast wel wat geslapen, hij voelt zich trouwens onfris, ongewassen, hij ziet de wereld alsof hij koorts heeft en alles eruitziet als de versuffing van wanneer je net in slaap valt, haast als een droom.

De wagon zat vol jonge mannen zoals hij, de jongsten en magersten zien er angstig uit, met bleke hoofden en wangen waar alleen de acne wat kleur aan geeft. Ze moeten allemaal hebben gedacht dat ze Marseille zouden zien met de zon en een voorproefje van de zee. Een ansichtkaart, een haven die baadt in het zonlicht en de schittering van de zon op het water als aluminiumfolie.

Maar ze zijn op een station dat niet Marseille is, een veel kleiner station. En het is nog te donker, je ziet niet veel, nog net de massieve, zwarte contouren van vrachtwagens waar ze in de vroege ochtend heel snel, bijna stiekem in geladen worden – en de trucks met de dekzeilen rijden weg terwijl eigenlijk niemand iets zegt; iedereen is onder de indruk.

Zelfs hij denkt op dit moment niet meer aan zijn

moeder en aan wat hij met zijn geld had kunnen doen als hij deze oproep niet gekregen had.

Het is heel vroeg in de ochtend en hij heeft honger. Maar in plaats van koffie en eten krijgt hij net als de anderen een metalen plaatje. Hij weet wat het is, ze vertellen er meteen bij waar dat voor is.

'Een soldaat ben je nu, nou ja, bijna dan, nog niet helemaal: nu heb je nog een naam, straks ben je alleen nog maar het nummer op dat plaatje om je nek, op het metaal waar je je huid soms aan zult branden als het een heel warme of juist heel koude dag is; dit plaatje zul je nooit vergeten, het is het eerste cadeau dat het leger je geeft. Op het metaal staan twee helften, gescheiden door tandgaatjes, met nummers erop. Als je sterft, soldaat, wordt het ene deel er door een van je makkers die meer geluk heeft dan jij afgebroken, en dan brengt een gendarme het samen met wat er van je over is naar je familie.'

Hij kijkt ernaar met een vreemd gevoel, hij zegt bij zichzelf dat hij zijn geluk al een keer heeft beproefd in een loterij en dat hij dat liever niet nog eens doet, ook al weet hij nog niet wat er staat te gebeuren, want boven zijn hoofd is de hemel blauw en de lucht zacht. Hij zegt bij zichzelf dat de hemel thuis wel zo grijs als stof zal zijn, zoals wel vaker, zoals meestal, als het water waarin hij zijn dienblad in de eetzaal moet leggen. Thuis is de hemel grijs en je eet er niet zo goed als hier. Maar hij ziet het helemaal niet zitten met dat barakkengedoe dat ze hem hier opdringen, met die kampsfeer, al die barakken op een rij, onheilspellend, alles is onheilspellend onder de blauwe hemel, en dat had hij niet gedacht: hij heeft dus kennelijk niet genoeg aan een blauwe hemel en een enorme zelfbediening waar hij voor het eerst lekker eet, maar wel wat eenzaam is omdat hij zich van iedereen afzondert, van alle groepjes die zich vormen en waarin de eersten al op zoek zijn naar mot, gesnoef en kletspraatjes.

En hij hoort wat ze zeggen, wat de ouden in de dorpen altijd al zeiden en wat ze hier nu herhalen om zich moed in te spreken.

'Nou ja, het is geen Verdun,'

'Achtentwintig maanden is lang, maar het is natuurlijk geen Verdun, en er schijnen ook bordelen te zijn.'

Ze maken grappen, als kippen zonder kop, ze verjagen hun angst door net te doen of het niks voorstelt. En hij eet alleen en denkt: achtentwintig maanden, ik moet het achtentwintig maanden volhouden. Geen dag, geen uur, geen minuut mag hij vergeten dat hij al zijn geld moet terugkrijgen, tot op de laatste cent, terwijl zij natuurlijk zal zeggen dat ze hem niets verschuldigd is, ze wil niets liever dan misbruik maken van de situatie en hem uitbuiten, en elke nieuwe dag zal hem eraan herinneren dat hij niet moet zwichten, niet mag verzaken, het is veel te makkelijk voor haar, voor iedereen daar om misbruik van hem te maken terwijl hij god-weet-waar god-weet-wat gaat doen met god-weet-wie.

Maar God heeft hier niets mee te maken.

God kan hem wel helpen, een beetje, als hij de tijd vindt om zijn koffer open te maken en zijn misboek te pakken, dat niet groen op snee is maar opgelapt met oude bruine isolatietape, en het in zijn zak te steken, dicht bij zich te houden en er af en toe wat in te lezen, een paar woorden, psalmen waarvan hij elk detail al uit zijn hoofd kent maar die hij toch liever leest dan dat hij zijn ogen moet richten op wat er om hem heen gebeurt, het geschreeuw uit de luidsprekers, het gegrinnik, gejammer, geruzie, en die afschuwelijke stapelbedden waarin het krioelt van de bedwants, schaamluis en vlooien, waarin af en toe iemand begint te schreeuwen omdat hij ratten hoort krijsen en waar het naar urine en schimmel stinkt.

De hygiëne laat te wensen over en de avond lijkt de hele nacht te duren. De slaap wil maar niet komen, je blijft bij je koffer, je dierbare koffer vol foto's, snuisterijen en herinneringen, als relikwieën van de wereld waar je vandaan komt en die een dagelijks leven symboliseren dat na een paar uur al zo ver weg lijkt, omdat je zo veel vreemde dingen ziet, mannen die voor een paar dagen terugkomen van daarginds met tassen vol vreemde voorwerpen, cadeaus, en ook geld, zo wordt er beweerd, en die oplettend en zelfs streng worden als je te dicht bij hun spullen komt. Maar hij is niet van plan dichtbij te komen; hij wil zelf ook met rust gelaten worden. Hij maakt zich zelf trouwens ook zorgen om zijn koffer, die hij eigenlijk geen moment alleen wil laten onder de deken van zijn mottige bed.

En als ze zijn marsorder willen zien – een onderofficier vraagt ernaar – aarzelt hij, bedenkt dat hij niet weet hoe hoog die man is, waaraan je dat kunt zien en wat zijn eigen rang is – de allerlaagste, natuurlijk – denkt hij dat de man met een Marseillaans accent spreekt, omdat ze dicht in de buurt van Marseille zitten. En als de man opnieuw naar zijn dagorder vraagt, wordt hij doodsbleek. Hij weet niet meer waar hij die gelaten heeft. Dan haalt hij in looppas zijn koffer op. Van de slaapzaal, waar hij bij binnenkomst wordt bevangen door de sterke misselijkmakende zweetgeur. En door de plotselinge stilte, die hij 's nachts zo gretig zou hebben verwelkomd maar die zal verdwijnen zodra de mannen de zaal weer bevolken. En terwijl hij naar zijn bed loopt maakt hij zich zorgen over de staat waarin hij zijn koffer zal aantreffen, wat er van hem zal worden als zijn spullen gestolen worden, wat voor straf hij dan zou krijgen, zonder papieren, zonder iets waarmee hij zijn identiteit kan aantonen, zonder iets te kunnen laten zien aan de onderofficier die buiten staat te wachten. Hij rent terug naar zijn meerdere, die nauwelijks naar het papier kijkt dat hij hem overhandigt. Hij krijgt het bevel om zich te voegen bij twee mannen die de stoepranden wit verven. Wit moeten ze worden. Niets dan wit tot hij wordt afgelost.

Hij gehoorzaamt zonder erbij na te denken. Dat vindt hij zelfs best prettig. De stompzinnige taak, de koppigheid die vereist is en die hij oproept door zich volledig op de klus te concentreren: hoe stompzinnig het werk ook is, hoezeer de uren zich ook herhalen, want elk uur zijn er soldatenkistjes die nieuwe sporen achterlaten op de pasgeverfde, nog nauwelijks gedroogde randen.

En dan weer opnieuw, maar het geeft niet: oververven met wit, en zo wandel je rond met die twee andere jongens die ook corvee hebben, zo wandel je de hele dag rond met een emmer verf in je hand en je blik op de stoeprand gericht, het hele kamp door, en het kamp is erg groot, stoepranden komen en gaan, maken bochten waar hij zo lang naar staart dat hij zich erin verliest en niets meer merkt van de drukte in het kamp. Pas als een van zijn twee medecorveeërs begint over de onderofficier die hun dit heeft opgedragen, kijkt Bernard op. Hij voelt zich beschaamd en belachelijk en misschien bloost hij zelfs wel over zijn onwetendheid als hij hoort hoe de ander zich vrolijk maakt over het accent van de onderofficier, dat Elzasser accent dat echt nergens naar klinkt. En hij lacht met de anderen mee, zegt niks over dat accent dat dus uit de Elzas komt en helemaal niet uit Marseille. Want dat weet hij nog wel, dat hij langgeleden op school heeft geleerd hoe ver de Elzas van Marseille verwijderd ligt.

Ergens in een vorig leven.

Hij houdt zijn kwast vast, buigt zich voorover en verft de hele dag over de voetstappen en de zwarte strepen van schoenen heen. Af en toe kijkt hij op, bedenkt dat je beter bezig kunt zijn met een kwast en witte verf dan te proberen aan corvees en onderofficieren te ontsnappen. Ooit komt er wel een einde aan. Dit is al iets, een manier om de dag door te komen, en nog een, en nog een, wachten op de avond, op de volgende avond, dan een derde, en op de vierde avond vertrekken. Alsof ze ongemerkt uit Frankrijk weg gaan sluipen houden ze zich gereed, staan ze opnieuw met de koffer in de hand en een kaki plunjezak over de schouder klaar om zich in te schepen, in het donker, op een heldere, maar koude avond, op de kade.

Daar staat hij dan, op een van de kades van La Joliette. Het nummer van zijn regiment staat met krijt op zijn helm geschreven. Hij is moe, hij heeft niet geslapen. Hij wil dolgraag naar bed maar voorlopig is er alleen moeheid en de drukte van zijn eenheid om hem heen, van alle eenheden die vanavond aan boord gaan, terwijl er alleen een paar toevallige voorbijgangers uit de verte toekijken met niets anders dan een enkel 'nou, tabee dan', als broodkruimels voor de vissen en de zeevogels.

En nu zal hij de zee zien, beseft hij, ook al is het donker. Het maakt niet uit dat het donker is. Hij zal de zee zien en hij denkt aan de eerste woorden die hij aan Solange zal schrijven. Hij bedenkt dat hij zal vertellen over de afmetingen van het schip; de boot is zo groot, zal hij zeggen, dat alle inwoners van La Bassée erop passen. Maar hij zal niets zeggen over de blikken om hem heen, over de vreemde stilte in alle blikken, over de alomtegenwoordige angst, op de boot, in de mensen, in de snijdend koude lucht.

Hij zal wel vertellen over de meeuwen, over de sleepboten die om hen heen cirkelen als vliegen om de paarden en koeien in de zomer; hij zal niets zeggen over de nerveuze spanning, de plotselinge paniek in de ogen, de gespannen lichamen, de steeds tragere gebaren en de ingehouden adem wanneer plotseling, luider dan de stemmen en het geroep van de weinige mensen op de kade, luider ook dan het gekrijs van de meeuwen, van de paar meeuwen die boven hun hoofden zweven als de kleine gevechtsvliegtuigjes die hij ooit in de cineac op het journaal heeft gezien, ja, nog luider dan dat, helemaal tot in je keel, in je hoofd, niet te beschrijven en al helemaal niet uit te leggen aan Solange of wie dan ook, denkt hij, wanneer hij onder zijn voeten plotseling iets voelt wat lijkt op een trilling, een beweging, stemmen, wind, meeuwen, en een nog langere, hardere dreun voelt, tot in het diepst van zijn wezen, zijn handen klam worden en hij de blik van een andere rekruut kruist die net zo bang is als hij, die net als hij, net als iedereen beseft dat zijn hele leven vanaf dit ogenblik doortrokken zal zijn van die stoot op de sirene, die het vertrek van het schip aankondigt.

Nacht

Wat er gebeurt – in de eerste plaats de snelheid waarmee de soldaten de deuren intrappen en met het wapen in de hand de lage, donkere huizen binnenstormen, hun ogen aan het donker laten wennen en dan achter in de vertrekken alleen wat vrouwen en oude mannen, en soms ook kinderen onderscheiden.

Nooit een man in de kracht van zijn leven.

De soldaten bestormen het dorp, rennen schreeuwend rond, schreeuwend om zichzelf moed in te spreken, om angst aan te jagen, om te rochelen, om te zuchten, en de oude vrouwen laten de manden vallen die ze aan het maken zijn en kijken naar de jongemannen, verbaasd dat degenen die de wapens vasthouden ook degenen zijn die bang lijken.

Ze zijn boos, ze schreeuwen: 'Naar buiten!'

'Naar buiten!'

En in de huizen pakken ze mensen bij de arm, trekken aan hun kleren,

'Vooruit, naar buiten!'

De vrouwen zetten de manden neer. Ze staan op. Ze laten hun handwerk staan en gaan naar buiten, net als de oude mannen, ze weten niet waarom, hun traagheid past slecht bij de vereiste gehoorzaamheid, bij hun handen die ze plat op hun hoofd moeten leggen en bij de lopen van de machinegeweren waarmee ze naar het centrum van het dorp worden gedreven.

Ook de kinderen verzamelen zich en ze kijken omhoog naar de soldaten, met vertrokken gezichten, ze houden zich groot, van angst durven ze niet te huilen.

Voor de deur van een huis staan kinderen te huilen. Ze blijven onbeweeglijk staan, twee kleintjes, en ze schreeuwen totdat een vrouw hen komt halen en hen meeneemt naar het plein, iedereen dicht tegen elkaar aan, buren, vrienden, anderen, familie, van alles maar allemaal vrouwen, oude mannen of kinderen, dicht tegen elkaar aan, ter hoogte van de soldatenbenen, terwijl de uiteindes van de mitrailleurlopen voor hun ogen dansen en het verstikkende, warme, dikke, witte stof in je ogen en je neus prikt en een droge, meelachtige smaak in je mond achterlaat.

Er lopen kippen over het plein, ze kakelen en lopen druk door elkaar in het stof, honden blaffen, je hoort geiten, deuren die worden ingetrapt, het geschreeuw van een paar vrouwen die opgesloten of verborgen zaten, jonge vrouwen in felle kleuren, in rode, gele, blauwe stof, die weerstand bieden, geduwd moeten worden, duw ze maar vooruit met de uitende van je loop en schreeuw er maar hard bij.

'Doorlopen, vuile hoer!'

'Zij ook naar het plein, opschieten!'

Het gaat er harder aan toe dan zojuist met die oude mensen, want deze vrouwen weten iets, ze weten waar de mannen zijn.

'Waar zijn de mannen?'

De mannen zijn onvindbaar.

De oude mannen spreken niet meer, ze blijven zwijgen – de tandeloze monden trillen alleen en bibberen en spuwen iets uit, of ze beven even hard als de vingers die zich aan de wandelstokken vastklampen. Verder valt er niets in hun ogen te lezen, geen enkele verbazing. Zelfs geen woede, niets. Kalm zijn ze, gelaten, verder niets, geduldig misschien. Sommigen van hen hebben de stoffelijke resten gezien na een napalmbombardement – zwarte hoopjes verkoolde romp met ledematen die nog heel zijn – en mannen van wie het geslacht was gebarsten door de stroom die erop was gezet en die als door een wonder aan de dood waren ontsnapt; ze hebben soldaten gezien die mannen met stenen doodgooiden en meisjes van twaalf die zich zonder een traan te laten aan hen gaven; daarom zijn ze nu niet bang, ze wachten, ze hebben geduld.

De luitenant spreekt met Abdelmalik, een van de twee inlandse soldaten. De *harki* brult tegen de sloeries die hun mond niet willen opendoen dat ze hen echt wel aan het praten zullen krijgen, dat ze het heus wel uit hen zullen halen, en anders wel uit de oudjes,

Want godverdomme nog aan toe, praten zullen ze.

En terwijl hij schreeuwt en spuugt en zijn voorhoofd afveegt met de rug van zijn hand, gaan ze verder met het doorzoeken van de huizen en het intrappen van schuilplaatsen, nog een paar deuren, weer een paar, huizen die een beetje achteraf staan, en je hoort hoe ze binnen alles kapotmaken en omgooien, kippen die wegvluchten, geiten die zich uit de voeten maken, ze vertellen elkaar dat er wapens in de kruiken zitten, waarna ze ze kapotslaan en er alleen maar graan in blijkt te zitten, dat over de grond stroomt als poeder of zand tussen je vingers, met gele stofwolken.

Février wil een van de laatste huizen binnendringen; de deur gaat niet open. De deur verzet zich. Met z'n drieën of vieren lukt het. Binnen zitten een vrouw en een oude blinde man die opschrikt als de deur bezwijkt en met de golven licht ook de soldaten binnenlaat, die direct al denken dat de oude man blind is omdat hij de enige is die zijn gezicht niet naar hen toe keert.

Ze lopen niet op hem af. En ook niet op de vrouw, die misschien de dochter van de blinde is, maar op de twee kinderen, bijna geen kinderen meer, een meisje en een jongen van veertien of vijftien, nog te jong om fellaga te zijn.

'Maar mannen, hoe weet je nou of dat geen fellaga is, hoe kun je dat zien?'

'Wat ben je?'

'Zeg op, wat ben je?'

'Hé, er wordt je wat gevraagd.'

'Spreek je geen Frans? Nee, begrijp je het niet?'

De puber zegt niks, hij deinst een beetje achteruit, minder dan een stap, en kijkt de soldaten een voor een aan. Hij gebaart dat hij het niet begrijpt, hij heft zijn armen op en wil ze op zijn hoofd leggen, dan bedenkt hij zich, laat ze weer langs zijn lichaam hangen en zegt iets in het Arabisch wat niemand verstaat. Je voelt, je ziet wat hij wil zeggen. Hij zegt ongetwijfeld dat hij ze niet begrijpt, dat hij niet weet wat ze van hem willen, en uit zijn ogen spreekt niets anders dan doodsangst – en die angst probeert hij te bedwingen door naar zijn moeder en zijn zus te kijken, en naar de oude man. Niemand lijkt te begrijpen wat hij zegt.

'Waar heb je de wapens verstopt?'

'Vooruit, zeg op, waar heb je de wapens verstopt?'

Bij de eerste klappen blijft hij onbewogen, zijn lichaam reageert nauwelijks, hij knippert nauwelijks met de ogen. Alleen zijn stem trilt als hij zegt dat hij het niet begrijpt, of dat hij niets te verbergen heeft, of iets anders dat ze ook niet verstaan.

'De wapens!'

'Zeg op, waar zijn ze?'

Hij kijkt ze aan en geeft geen antwoord.

'Waar zijn ze verstopt?'

Hij schudt van nee.

'Waar? Dat weet je best.'

'Vertel op.'

Hij schudt zijn hoofd om nee te zeggen.

'Wat weet je over de fellaga's?'

Ze staan met twee soldaten vlak bij hem en ze geven hem aldoor tikken met hun vingertoppen, op zijn schedel, op zijn achterhoofd, in zijn nek.

'Waar zijn de wapens?'

Hij sluit zijn ogen, zijn ogen trillen. Je hoort het droge geluid van de tikken. De jongen blijft rechtop staan. Hij houdt zijn adem in. Je hoort de tikken, steeds harder, op zijn wangen, zijn ogen, zijn voorhoofd, hij fronst de wenkbrauwen, je ziet zijn kaakspieren trillen en hij houdt zijn adem in, gebaart dat hij het niet weet, schudt kort van nee, met een beweging zo gespannen als een spasme. Hij doet een stap naar achteren. Hij spreidt zijn vingers en heft zijn armen in de lucht.

Hij wordt gefouilleerd en ze vinden niets anders onder zijn kleren dan een rilling in zijn hele lichaam en het koude zweet dat zijn nek stijf maakt, en zodra hij niet meer wordt geslagen spert hij zijn ogen wijdopen. Zijn borst zwelt op met lucht en hij ademt diep uit, door zijn neus en zijn halfopen mond.

Ze horen dat buiten – ze luisteren naar de geluiden van buiten, waar nog steeds deuren worden ingetrapt. Je hoort kruiken die op de grond worden gesmeten kapotvallen op een vloer. En kinderen, huilende baby's. Blaffende honden. Dan een schot. Iedereen schrikt op. Geiten. Een hond, iemand heeft een hond afgemaakt. De puber wordt gefouilleerd. Dan de anderen. Daarna bevoelt iemand de djellaba van het meisje. Het meisje kijkt naar haar moeder, haar haar wordt zichtbaar als een soldaat de hoofddoek wegtrekt, haar haar valt op haar schouders. Ze opent haar mond alsof ze haar verrassing wil uiten. Ze balt haar vuisten. De soldaat gaat heel langzaam door met fouilleren, hij betast haar borsten langdurig, en Mouret en Février kijken toe zonder iets te zeggen. Daarna loopt Février naar het meisje toe, de andere soldaat stapt opzij, Février raakt de djellaba aan, houdt zijn hand stil als het meisje een zachte, bijna onhoorbare kreet slaakt, waarna ze meteen weer haar toevlucht zoekt in stilzwijgen waar haar woede buiten blijft – ze beseft, ze houdt zichzelf onafgebroken voor dat ze haar zelfbeheersing moet bewaren, dat ze vooral niet in woede moet ontsteken, vooral niet moet schreeuwen, ze mag niet schreeuwen, ze mag ze niet beledigen, ze moet wachten en haar mond houden.

Mouret kijkt naar Février en geeft hem een teken dat hij op moet houden. Février draait zich om en loopt weer naar de jongen.

'Je wilt dus niks zeggen?'

'Je wilt niet praten? We zullen je wel laten praten, je weet dat we dat kunnen, hè?'

Hij komt dichterbij, hij aarzelt. Hij kijkt de jongen diep in de ogen, spuugt naast hem op de grond. Hij kijkt de jongen opnieuw aan, alsof hij hem iets wil vertellen, alsof hij hem wil doorgronden, zijn zwijgen en zijn angst wil peilen en iets wil onderscheppen, een bekentenis of een geheim. Hij kijkt ook naar de oude man en de vrouw, maar daar ziet hij alleen verkreukelde gelooide huid en bij de man een blik die even ver weg lijkt als zijn jeugd.

Dan wordt Février bijna bang, en zijn blik vestigt zich op het meisje. Met de ene hand houdt ze haar djellaba aan de bovenkant dicht, met de andere probeert ze haar haren bij elkaar te houden. Ze kijkt niet terug naar Février of de anderen. De jongen moet zijn twee handen plat op zijn schedel leggen. Hij huilt in stilte, er staan gewoon tranen in zijn ogen, die over zijn wangen rollen. Er ligt geen enkele opstandigheid of woede in zijn uitdrukking. De blinde zit onbeweeglijk, de moeder ook, ze wendt alleen haar hoofd af, slaat de ogen een beetje neer. De jongen kijkt met wijd opengesperde ogen naar de mannen – ogen zo groot en schitterend alsof ze een hallucinatie zien.

En nog steeds klinkt buiten het gehuil van baby's, het blaffen van een hond, het geweeklaag van vrouwen, en dan een schroeilucht die zich verspreidt, gehuil en gejammer van de vrouwen op het plein, en over alles heen de zurige, scherpe lucht van zwarte rook, de geur van rook die overal binnendringt en in je neus en ogen prikt.

De mannen maken zich op om te vertrekken. Ze gaan naar buiten. Février aarzelt en kijkt naar het meisje, zij voelt het, de anderen voelen het ook, en de soldaten ook. Mouret slaat hem op de schouder: 'Kom, we gaan.'

Ze lopen naar buiten. Ze staan al in de deuropening als Nivelle zich omdraait en zonder waarschuwing, met een korte, mechanische beweging, bijna zonder nadenken op zijn schreden terugkeert en met gestrekt lichaam een paar grote passen neemt; hij zet nog een paar stappen, haalt zijn revolver uit zijn riem en zonder te kijken, zonder na te denken, richt hij op de jongen tegenover hem en schiet een kogel door zijn hoofd.

Buiten zien Février en de anderen dat het dorp in brand staat. De vrouwen en de oude mannen staan midden op het plein, en uit een paar brandende huizen klinkt geschreeuw. Alle mannen en vrouwen zitten bij elkaar, dicht tegen elkaar aan, de vrouwen huilen, maar niet allemaal, sommige kijken naar de brandende huizen en andere smeken; de oude mannen slaan de ogen neer en wachten met de handen plat op het hoofd, ze wachten, en het gehuil van de vrouwen is nog moeilijker te verdragen dan de rook en het vuur dat de huizen verteert, misschien nog onverdraaglijker dan de soldaten om hen heen die hun machinegeweren op hen gericht houden, en de luitenant, die brullend om hen heen loopt, tegen schouders en in ruggen schopt, en steeds maar herhaalt dat ze moeten praten, dat ze moeten zeggen waar de gezonde mannen zijn, natuurlijk weten ze dat, hun eigen mannen, hun zoons, hun broers, waar zijn ze, ze hebben jullie hier achtergelaten,

'Het zijn honden,' zegt de luitenant weer, 'honden zijn het, want ze hebben jullie alleen gelaten, ze wisten dat we zouden komen en toch hebben ze jullie alleen gelaten.'

Hij loopt nog steeds om de groep mannen, vrouwen en kinderen heen, en dan lopen de soldaten tussen hen door, ze stappen over mensen heen en delen in het wilde weg schoppen uit, ze trappen met hun laarzen, de vrouwen schreeuwen, de kinderen huilen in hun armen. Ze roepen dat ze het niet weten.

'Wij weten van niks, onze mannen zijn al zo lang weg, we weten het niet, ze zijn naar de stad gegaan, naar Oran, om werk te zoeken, ze zijn op zoek naar werk.'

De luitenant gelooft het niet. De soldaten geloven het niet. De luitenant grist een peuter uit de armen van een vrouw. Eerst stribbelt ze tegen, houdt ze het kind vast, klemt haar armen en handen stevig om het lijfje heen; een soldaat komt de luitenant te hulp, hij jaagt de vrouw weg door met de kolf van zijn geweer tegen haar armen en schouders te slaan tot ze loslaat, tot ze niet meer kan, en uiteindelijk geeft ze het op en valt ze neer, en de luitenant pakt de peuter vast, houdt hem met één hand bij zijn halsje vast; en de vrouwen en de oudjes willen opstaan, maar de soldaten richten hun geweren op hen en de luitenant heft zijn arm nog hoger en je ziet de kleine armpjes en beentjes in de lucht bengelen.

'Zijn vader! Waar is zijn vader?'

En de luitenant houdt zijn arm nog steeds in de lucht en het kind schreeuwt en probeert zich los te rukken, het lijkt wel te zwemmen, de moeder schreeuwt, ze smeekt, ze is naar de voeten van de luitenant gekropen en ze wil zich aan hem vastklemmen, maar de soldaat blijft maar slaan met zijn geweerkolf en duwt haar weg, de luitenant heeft haar niet eens gezien, die kijkt naar de anderen op het plein, al die andere mensen die daar in doodsangst zitten en niets durven doen.

'Waar zijn de mannen?'

En hij wacht niet op een antwoord, het is al te laat, hij haalt zijn pistool tevoorschijn en zet het wapen tegen de slaap van de peuter, er verschijnt een roze vlek op de slaap omdat hij de loop er zo hard tegenaan duwt, en de peuter schreeuwt en de luitenant kijkt naar de vrouwen en de oudjes, ze zeggen niets en hij kijkt om zich heen naar de soldaten, die ook verstard en doodsbleek zijn.

'Nee', hoort hij een stem zeggen. 'Nee.'

Hij wacht totdat de stilte alles bedekt, dan vraagt hij zich af of hij dat zelf heeft gezegd, of hij zelf zijn mond heeft opengedaan en gezegd heeft: 'Nee.'

Hij stopt zijn wapen weg, en met het onverschillige gebaar waarmee je een pit uitspuugt die je heel lang in je mond hebt gehouden, gooit hij de peuter een paar meter van zich af, en al gauw hoor je niets anders meer dan de tranen en de oneindige jammerklacht van de vrouw die zich op haar kind stort.

Dan gaan ze maar weer verder, naar het volgende dorp.

Van het ene dorp naar het andere, met steeds die geur van rook, niet alleen in hun kleren maar ook in de lucht, die zich verbreidt en de hemel kleurt. Heel even lopen ze door een wadi, een brede bedding waarin het water zelf echter slechts een dun straaltje vormt dat kronkelt tussen de kiezelstenen, het rotspuin en de distelstruiken waar je overheen moet stappen. De aarde is vochtig, zanderig, bedekt met zeekraal. Schapen en geiten mekkeren. Er zijn sporen van sandalen en bergschoenen. Ze lopen vrij snel door, in stilte, met geen ander geluid dan het water tussen de stenen en kiezels, die glad zijn onder hun voeten, de stemmen van de mannen, die vloeken als ze struikelen, en het gerammel van al het metaal in hun bepakking.

Ze houden stil om hun handen in het water te steken en zich op te frissen.

Niemand zegt iets. En als de luitenant Poiret het bevel geeft om de achterblijvers op te halen, sputtert hij een beetje tegen, niet uit angst maar uit minachting voor de achterblijvers, of gewoon omdat hij geen meter meer wil lopen dan strikt noodzakelijk.

En natuurlijk treft hij alleen Châtel, de allerlaatste. Als deze hem ziet naderen valt er overduidelijk in zijn blik te lezen: laat me met rust.

Wat zou Châtel dat graag zeggen.

Laat me met rust.

Maar dat doet hij niet. Of anders alleen met zijn bleke, witte gezicht, zijn blik vol afwijzing. Beter gezegd: vol woede. Vol woede, nu al. En dan duurt het niet lang. Net lang genoeg voor de anderen om zich om te draaien, en dan horen ze, nee, niet de stemmen van de twee mannen, niet het geluid van hun vuisten, maar dat van hun uitrusting als ze in het water vallen, van het gespetter van hun vechtende lichamen en de kiezels die in het water rollen.

Als ze uit elkaar worden gehaald ligt Châtel op de grond: de ander scheldt hem uit en slaat hem nog steeds, hij slaat hard, hij trapt. Châtel ligt in het water en beschermt zijn gezicht, zijn lichaam voelt niets, ook de kiezels niet die onder hem heen en weer bewegen en in zijn lichaam prikken, in zijn rug, billen en benen, net als de schoppen van Poiret.

'Vecht dan terug, lafbek, kom op dan!'

De anderen houden Poiret tegen, ze helpen Châtel om op te krabbelen en zijn spullen op te pakken. Maar niet zachtzinnig, zonder enig gevoel van vriendschap, alleen maar om er zo snel mogelijk van af te zijn, omdat de luitenant het heeft bevolen. En ze kijken hem niet aan. Het zou hun niet verbazen als hij in tranen zou uitbarsten. Maar dat doet hij niet. Hij loopt wat te mompelen, de blik strak gericht op de rug van degenen voor hem, alsof hij niets anders ziet dan dat en alsof de schaduw waar ze even in lopen er altijd zal blijven.

Maar dat is niet zo. Al gauw moeten ze de wadi verlaten. Je kunt de daken van het volgende dorp al zien.

Châtel blijft staan en begint te kotsen.

's Avonds staat hij aan de bar van de recreatieruimte en blijft er gedurende een tijd die hem zelf oneindig lang voorkomt, onbeweeglijk staan, met zijn ellebogen op de bar en zijn blik op de zaal.

Nivelle en Poiret zijn aan het tafelvoetballen.

Châtel kijkt naar ze, hij kan zijn blik niet afhouden van die twee kerels die hij niet begrijpt.

Hij kijkt naar ze, naar hun wijdbeense manier van staan en hun armen naar voren, hun soepele bovenlichamen en schouders, hij kijkt naar de nek van Nivelle, de schedel die je vaag door hun gemillimeterde haar heen ziet schemeren. Hij ziet ze aan de handgrepen draaien, hij hoort de verchroomde staven knarsen, een geluid dat opklinkt in de zware, dichte stilte van deze plotseling o zo brave recreatieruimte waar ieder zijn biertje drinkt zonder een woord te zeggen, zwijgende, rokende mannen die als ze al iets zeggen toch iets traags blijven houden in hun manier van doen. Of dat door vermoeidheid of angst komt, weet hij niet. Hij hoort en voelt het water van de wadi nog, hoe de kiezels onder zijn lichaam verschoven terwijl die ander eiste dat hij terugvocht, met die stem die hij nu, op dit moment, precies zo, echt precies zo, hoort brullen tegen Nivelle, die aan het winnen is; en het geluid van het balletje dat het tegenoverliggende doel lijkt te doorboren is even kort en dof als een geweerschot.

Châtel schrikt op.

Ze zijn allebei zo fanatiek dat de voetbaltafel er soms van wankelt; Châtel vindt het haast angstaanjagend. En dan de blik van de mannen eromheen gericht op de twee bezeten spelers met hun galmende stemmen, de poten van de tafel die knarsen op de vloer, de rollende witte balletjes die trefzeker midden op het veld worden gegooid.

En later, als alle anderen van de recreatieruimte naar de eetzaal gaan, loopt Châtel de slaapzaal op en ziet Bernard er op bed zitten, verdiept in zijn misboek.

Die kijkt even op, maar verdiept zich dan weer in de psalmen, die hij halfluid leest, met ingehouden adem, in opperste concentratie. Châtel weet dat er hier niemand is met wie hij kan praten, inclusief Bernard, wat hij in het begin nog wel dacht. Dat is voorbij, weet Châtel, Bernard ergert zich aan hem, Bernard ergert zich aan alles van hem, aan zijn uitzonderlijk magere postuur, zijn bleke huid, het dunne snorretje op zijn lip, een soort schaduw van heel fijn dons dat hij elke dag bijknipt. Hij is te zelfverzekerd, onder het broze uiterlijk dat hem tot schild, tot valse bescheidenheid dient, met zijn air van een student of intellectueel, en met zijn lelijkheid die Bernard er vast van overtuigt dat Châtel zichzelf alleen als een dienaar Gods beschouwt omdat hij geen vrouw kan krijgen.

Want Châtel is een soort pacifist, zo iemand over wie Bernard ooit weleens iets heeft opgevangen, mensen zoals je ze zelf niet kent, die van mening zijn dat de ene god de andere wel degelijk kan verdragen, dat je ook een ander geloof kunt hebben en toch dezelfde rechten hebt, en die soms zelfs zo ver gaan dat ze zeggen: 'En de VN dan, weet je wat de VN is?'

Er valt niet met hem praten, Bernard en hij zijn het nergens over eens.

Dat neemt niet weg dat Bernard, als ze die avond samen met nog een paar anderen worden opgetrommeld, wel kan raden hoe eenzaam Châtel zich voelt, eenzamer nog dan de rest, maar hij moet mee, hij moet met de anderen in het donker staan, het kamp verlaten, zo'n meter of dertig afstand nemen en dan uitwaaieren – het is heel onprettig, niemand vindt het prettig, omdat je alleen bent in het donker en urenlang alert moet blijven met het geweer in de hand, in elkaar gedoken of rechtop.

Ze vormen met z'n allen een ring om het kamp, maar tussen de mazen gapen zulke openingen dat je weet dat je alleen bent, de ruimte tussen jou en de volgende is groot en je kunt niet met elkaar praten, in het begin zou je heel graag met iemand willen praten, maar als je eenmaal begrijpt dat je door te praten een doelwit wordt, net als door te roken, dat ze je dan kunnen horen of zien, dan verandert dat snel genoeg, en je voelt je direct naakter en kwetsbaarder dan binnen, want hier is niets wat je beschermt – Bernard en de anderen hebben als enig gezelschap het vreselijke geknor in hun buik, de aanvechting om te gaan kotsen en de honger, want het is alweer langgeleden dat ze gegeten hebben, het eten is hier zo slecht, of nee, slecht is het eigenlijk niet, eerder eentonig. Je zou, je lichaam zou weleens wat anders voorgeschoteld willen krijgen dan die eeuwige cornedbeef en blikjes tonijn in olie met bonen en rijst, altijd maar weer rijst, of stoofpotten met daarin dag na dag hetzelfde kapotgekookte slachtvlees bij wijze van runderpoulet.

'Dit is geen rundvlees!' foetert Février, die altijd weet wat voor vlees hij in de kuip heeft en meteen proeft of het schaap of kameel is. Maar het vlees van ezels herkent hij niet en die worden soms ook per ongeluk gedood: kadavers van dieren met als enige goede eigenschap dat ze niet uit blik komen. Vlees dus. En wijn. En terug naar huis. Daar spreekt Février over met Bernard, ook 's avonds als hij de foto van zijn verloofde laat zien die hij in zijn portefeuille heeft. Want hier zijn vrouwen herinneringen die weggestopt zitten in portefeuilles, samen met alle dansfeestjes op zaterdagavond; verloofdes die je heel stevig wilt omarmen, zomerjurkjes, warme voorjaarsavonden, en dan het verscheurende verlangen, een verlangen dat je met grappen moet verdrijven.

Maar Février laat een foto zien van Eliane op het strand, ze staat er ten voeten uit op en glimlacht naar de fotograaf, en hij weet dat hij die foto ook altijd een beetje laat zien om op te scheppen, zodat hij kan zeggen ja, kijk eens wat er thuis op mij wacht, kijk eens naar die benen, die mooie blote voetjes in het zand, die monokini, die haren in de wind, die handen op de heupen, die glimlach op het strand van La Tranche sur Mer, die volle borsten, en dan klinkt er een fluitconcert door de hele slaapzaal: 'Afzwaaien, verdomme!'

En Février die roept: 'Afzwaaien, verdomme!'

En ze lachen allemaal: 'Afzwaaien, verdomme!'

Ze proberen hem de foto te ontfutselen, geven hem aan elkaar door, en tussen het gelach door zijn de opmerkingen niet van de lucht.

En nu, in het donker, hebben ze het koud.

Bernard probeert zo vaak mogelijk van houding te veranderen, hij krijgt kramp in zijn ledematen en hij luistert of hij zijn kameraden rechts en links van hem kan horen, die net als hij zo vaak mogelijk van houding veranderen.

Je vertelt jezelf dat je ze moet horen, omdat je zelfs als je ogen gewend zijn aan het donker, allereerst moet proberen om alles te horen, meer nog dan het te zien, elk geluid dat niet van jezelf komt, niet van je eigen lichaam met je soms angstaanjagend luide ademhaling, alsof er iemand achter je staat te hijgen, alsof er iemand vlak naast je staat – en dan klem je je handen, je vingers, zo stevig om het geweer en doorboor je de duisternis zo diep mogelijk met je ogen om een schim, een gestalte te ontwaren, maar het enige wat je tegen het blauwachtige grijs ziet afsteken zijn de contouren van het landschap dat je nu al maanden kent en dat je 's nachts liever van bovenaf ziet, vanuit de wachttoren, dan vanuit deze vooruitgeschoven positie.

Het verschil is dat je daar in een stevige, solide stenen toren van grijze steen zit die de kogels tegenhoudt en die je bereikt door midden van een trap achter een ijzeren deur die door de wachtcommandant op slot wordt gedraaid.

Je hebt er niets te vrezen: je kunt je er zelfs van overtuigen dat die wachttoren de enige plek is waar je niets kan overkomen als je zou worden aangevallen.

Soms is er geen kou om Bernard uit de slaap te houden als hij in zijn eentje op wacht staat in de omringende duisternis. Als het zacht weer is, zou je hier eigenlijk nog beter kunnen slapen dan op de slaapzaal, want hier word je tenminste niet gestoord door zweetlucht en luid gesnurk. De krekels vergezellen je terwijl je langzaam wegsoest, de lichte deining van de wind door de bomen en struiken en de loomheid waar je al gauw van leert genieten en die je het idee geeft dat het veel erger kan dan dit.

Je stelt je voor hoe het aan de andere kant van de basis is, achter de grote olietanks. Je stelt je de zee voor, boten waarvan af en toe een hoorn klinkt, en je denkt aan nog een andere kant, achter de heuvels, waar het uitgestrekte land ligt waarvan je alleen de naam kent en de beelden die je ervan hebt, clichés, prentbriefkaarten, de woestijn, kamelen, je denkt aan mannen met tulbanden op paarden die in volle galop over de paden rijden terwijl het zand in stofwolken om hen heen opstuift, die met grote, soepele bewegingen een immens groot zwaard, zo krom als een zeis, ver boven hun hoofd laten dansen.

Maar nu klem je je vast aan je geweer, en Bernard en de anderen turen scherp in het donker om te zien of er iets beweegt.

Er zwerven veel honden rond, dat weet hij, vanuit de wachttoren kun je ze zien, bruine vlekken die afsteken tegen het doorzichtige blauw met op sommige plaatsen wat roze, maar daarboven ben je niet bang te worden aangevallen, zelfs niet door de honden, die hier door de stank van het vuilnis naartoe worden gelokt.

En precies nu, juist vanavond, moet hij iets horen kraken. Als twijgjes die breken onder een voetstap.

Een paar seconden lang houdt Bernard zijn adem in om scherper te kunnen luisteren. Hij vraagt zich af of het niet gewoon een van zijn maten is die even verderop staat te pissen – vaak is hij, als hij hier op wacht staat, zo bang om aangevallen te worden op een moment dat hij even niet oplet omdat hij staat te pissen, dat hij het zo lang mogelijk ophoudt, er zijn genoeg soldaten zoals hij die in de vroege morgen gekeeld zijn teruggevonden met hun lid in de mond. Dus spitst hij de oren, en ja, een geluid, nu nog vrij ver weg, als takjes die geplet worden, of is het de wind – hij weet best dat het van alles kan zijn.

Vaak kan hij 's nachts zelfs in het kamp niet slapen.

Dat komt door die geschiedenis van dat geld en zijn moeder die hem nog steeds dwarszit, ook al weet hij dat er niets aan te doen is.

En hij probeert wel om in het donker de angst te verjagen door psalmen op te zeggen, over het metaal van zijn FM te strijken en zachtjes op de kolf te kloppen, maar hij weet dat die woede hem wekenlang, in elk geval de eerste weken, totaal verblind heeft, zodat hij helemaal niet door heeft gehad waar hij was beland. Voor hem is er geen terugkeer naar het platteland mogelijk, nooit meer zal hij hele middagen zitten kijken hoe de koeien zijn jeugd vermalen, zijn hele leven dat verdwijnt in de trilling van de populierblaadjes.

Dat is voorbij, allemaal voorbij.

Hij droomt van een baan als monteur, werken in de stad zonder de monotonie en vermoeienissen van het landleven. Hij wil geld. Hij denkt dat alles verandert als hij geld heeft. Dan kan hij naar de stad trekken en werk vinden in een fabriek of zelfs, waarom ook niet, in een garage, zoals Nivelle, die automonteur is bij een bedrijf in de buurt van Orléans. Of, nog beter, sinds hij Mireille kent, zijn eigen garage openen. Daar droomt hij van en daar heeft hij het soms met de anderen over, want er zijn mensen die snappen dat je niet terug wilt naar de boerderij, omdat het werk zo zwaar is en slecht wordt betaald.

En hij denkt weer aan zijn geld, zo gewonnen, zo geronnen.

Hij stelt zich voor hoe hij zijn geld bij zijn moeder zal opeisen, de dag na zijn thuiskomst, na eerst eindelijk goed te hebben gegeten en een nacht goed te slapen om de krachten te verzamelen om de confrontatie aan te gaan en doodkalm zijn rechtmatige eigendom op te eisen. Dat kan nooit meteen al op de dag dat ze hem van het station komen halen, want die dag zal iedereen hem willen aanraken, alsof ze willen controleren dat hij het echt is. Hij ziet alles al voor zich, stelt zich zelfs het gezicht van zijn moeder al voor die thuis op hem wacht en tegen wie hij aanvankelijk nog niks zal zeggen, de volgende dag pas, trillend, stijf, op het punt om er toch maar van af te zien vanwege de buikpijn die hij ervan krijgt, maar toch vastbesloten om niet te buigen en te eisen dat ze tot op de laatste cent rekenschap aflegt van het geld, waarvan alleen nog twee koeien in een wei en het nieuwe dak op de schuur resteren.

Vooral 's nachts denkt hij daaraan.

En nu zegt hij tegen zichzelf dat hij het geld dat zijn moeder heeft ingepikt, niet zal opeisen. Hij hoeft het niet meer. Hij neemt zich voor om nooit meer een poot in La Bassée te zetten, en al helemaal niet in het huis van zijn ouders, want nu heeft hij Mireille ontmoet en weet hij dat hij met haar naar Parijs kan gaan om daar een eigen garage te beginnen.

Nu weet hij het bijna zeker, er beweegt iets, daar, in de verte. Iets wat dichterbij komt.

Hij zit in elkaar gedoken te wachten. Hij wil beter kunnen horen, meer horen dan het geluid van de krekels en de adem van de vederlichte, zoele wind, onder die hemel die zo licht is dat geen fellaga het aan zou durven – je zou hem meteen zien, geen twijfel mogelijk, de lucht is zo bleek en wolkeloos, de maan halfvol, de sterren zijn miljarden lichtjes – ja, hij kijkt recht voor zich uit, hij ziet wel wat en zelfs heel veel, zijn handen, zijn armen en benen, zijn lichaam, de weerschijn van het grauwe licht op het metaal van zijn wapen. Deze nacht is niet donker, dus houdt hij zichzelf voor dat ze het niet aan zullen durven. En trouwens, hij weet nog dat hij de enige keer dat ze het wel aandurfden, op de slaapzaal was geweest en dat de nacht plotseling door een helder salvo uit een machinegeweer in tweeën was gekliefd, als een vrucht door een mes.

Ze hadden allemaal als één man hun ogen wijd opengesperd, waren als één man wakker geschrokken, en daarna werd het weer stil terwijl ze rechtop in bed gingen zitten, het licht aandeden, luisterden, en degenen die spraken en zich ongerust maakten zonder zich de tijd te gunnen er iets van te begrijpen, het zwijgen oplegden.

'Koppen dicht!'

Ze keken elkaar aan en probeerden hun zware, diepe, bijna hijgende adem te beheersen.

'Bek houden!'

Daarna klonken er weer lange salvo's door de nacht. Ze hadden tegen elkaar gezegd: 'Dat is de man in de wachttoren, de schildwacht boven is aan het schieten, hij schiet terug, hij schiet alleen maar terug.'

Even vroegen ze zich af of het een aanval was, of ze zouden moeten vechten, of ... Toen niets meer. Stilte. Heel lang. Heel diep. Alsof de kust alles wat leefde het zwijgen had opgelegd om de kogels de kans te geven de dichte duisternis en de koele lucht te doorboren; toen een jakhals, als het althans een jakhals was en niet, wat ook nog even door hen heen schoot, een kreet van de fellaga's om te hergroeperen; toen niets meer.

De volgende dag vonden ze in de aarde sporen van bergschoenen en een enorme plas bloed, zo zwart als stookolie; en daarna een levenloos lichaam in een blauwe overall van een man die vlakbij woonde en die ze goed kenden.

Hij denkt terug aan die geschiedenis, ook al weet hij dat dat geen goed idee is, dat je niet aan zulke dingen moet denken, dat ze echt niet zullen komen. Het is vannacht te licht. De duisternis is te licht. Toch hoort hij gekuch, even verderop, alsof er iemand achter hem staat te praten.

Hij draait zich om; achter hem ziet hij alleen de wacht van dienst en de omheining van het kamp. Hij draait zich gauw terug, hij weet dat je nooit je rug naar de heuvels moet keren. Hij voelt de angst in zich groeien, hij heeft het nu helemaal niet koud meer, en het lijkt of op zijn rug een plakkerig soort zweet uitbreekt, dat al gauw bijna helemaal bezit van hem neemt.

Hij strijkt met zijn hand langs zijn hals en zijn voorhoofd, ja, inderdaad, een kleverig vocht dat hij niet hoeft te proeven om te weten hoe zout het is.

Hij moet iets doen om het vol te houden, aan Mireille denken, ja, dat is het, niet ten prooi vallen aan de angst en de aandrang om te plassen, waar hij binnenkort vast wel aan zal moeten toegeven maar nu nog niet. Hij kan het nog wel even ophouden en hij blijft staan met het geweer stijf omklemd, dan draait hij zich een paar keer om en telt niet de schaduwen en uitsteeksels, contouren, hoeken, bomen, bewegingen van een tak of het aantal heuvels of wat dan ook, maar hij denkt aan Mireille en zegt weer tegen zichzelf dat hij van haar houdt en ook dat het niet nodig is om te veel gedoe te maken van de liefde.

Hij denkt niet altijd aan Mireille. Hij vindt haar niet erg knap. Nee, wat ze hem verteld hebben, dat liefde blind is, dat is niet waar.

Hij ziet zich al staan in een garage die van hem is, en Mireille die de boekhouding doet, dat kan ze best; hij denkt terug aan hun ontmoeting in een bar met neef Rabut erbij, hoe hij zijn kwartiermuts had laten liggen en dat ze hem daarom schreef, dat ze hem uitgenodigde en hij bij haar thuis kwam om hem op te halen. En de diepe indruk die Mireilles vader op hem maakte toen Février en hij een stoel kregen aangeboden en een glaasje ranja (alsof ze kinderen waren in plaats van mannen).

Ze hadden onwillekeurig gedacht dat ze niet alleen nog nooit een wijnboer als Mireilles vader gezien hadden, maar ook dat ze nooit hadden gedacht dat er zulke mensen bestonden, dat die konden bestaan – een landbouwer met zulke fijne, blanke handen – als er niet een tegenover hen gezeten had aan een grote tafel van glimmend zwart hout; hij droeg een stropdas en een overhemd met opgerolde mouwen, hij zag er vrij ontspannen uit, maar wel met een streng, bijna ascetisch gezicht, achterovergekamd haar en een bril die het vrij magere, maar doodgewone gezicht accentueerde dat weinig verschilde van de andere kolonialen hier.

Maar al die schilderijen aan de muren, en dan die Arabische vrouw die had opengedaan. En de tapijten. De patio met de fontein. De koelte. De grote meubels. De trap. Dat hele huis, zo ruim, en ze hielden zichzelf voor dat dit allemaal deel uitmaakte van Mireilles schoonheid. En Mireille hoort hij weer zeggen dat ze hem een klein beetje, nee, meer dan dat, dat ze hem heel erg vindt lijken op een Amerikaanse acteur van wie hij de naam niet eens meer weet. En dan te bedenken dat dit alles. Steeds maar blijven zeggen. Bedenken dat Mireille misschien zijn kans is.

Zonder enige twijfel zijn kans is.

En als hij bidt, vergeet hij nooit God te bedanken voor het feit dat hij Mireille op zijn pad heeft gebracht en ervoor heeft gezorgd dat hij zo veel op die Amerikaanse acteur lijkt.

En nu schrijven ze elkaar geregeld en praten ze over de toekomst, praten ze over morgen als dit achter de rug is. Als dit achter de rug is, denkt hij, het zal snel achter de rug zijn. Alles in de duisternis. En de beweging die hij rechts van zich hoort alsof er iemand dichterbij komt, op hem af loopt. En wat je nu hoort zijn geen krakende takken of struikjes, nee, het zijn zijn tanden die klapperen in zijn mond, wat je hoort is de angst in zijn mond; op het moment dat het salvo het donker verscheurt, klemt hij zijn kaken zo hard op elkaar dat het tandvlees ervan zou kunnen gaan bloeden of zijn tanden zouden kunnen breken – rechts vlak bij hem is even een blauwige, bleekwitte, bliksemende schicht te zien waarvan de echo de hele ruimte inneemt, en daarna ligt hij plotseling plat tegen de grond met schietklare handen, zijn vinger krampachtig om de trekker.

Hij trilt. Hij ademt zwaar. Hij trilt over zijn hele lichaam en zijn oren gonzen zo erg dat hij zijn adem en de krekels niet kan horen, en ook het schreeuwen van de mannen verderop niet. Hij weet nog niet dat degene die geschoten heeft is geschrokken van drie honden die plotseling de heuvels af kwamen rennen en te dicht bij hem in de buurt kwamen, hij weet niet dat twee van de honden dood zijn en de derde alweer achter de heuvels is verdwenen – hij heeft alleen weet van de pijn in zijn kaak, de tranen die hij niet kan inhouden, zijn klapperende tanden, de dichtgeschroefde keel alsof hij er een brandwond in heeft, een gevoel van beklemming, zijn doorweekte broek en lege blaas en datgene in zijn hoofd wat alle gezichtsspieren vertrekt en foltert.

En toch zal het de volgende dag weer dezelfde wereld zijn, met dezelfde riedel in de morgen: 'Iemand voor de eetzaal!'

Alsof de nacht een peuleschil was. Alsof er niets gebeurd is.

Iemand is aan de beurt om overeind te komen en koffie te halen in de keuken. Soms is het zijn beurt, maar meestal niet, en dan doet hij net als de anderen: hij mompelt wat en het hele onderdeel met hem, vijfentwintig man sterk. Transistorradio's knetteren de eerste nieuwsberichten uit, stemmen bulderen dat de radio uit moet, zachter moet, en met de ogen nog halfdicht van de slaap gaan ze allemaal pissen, buiten, tegen het muurtje verderop.

Vandaag zal hij Solange schrijven. Zoals zo vaak, als tijdverdrijf en om te horen hoe het gaat, om te vertellen dat hij hier volop worst, koffie en jam eet.

Dat zal hij schrijven: dat kan nog.

Hij kan ook vragen hoe het met de familie gaat, wat er allemaal gebeurt bij hen – hij durft niet te zeggen 'thuis', dat klinkt te sentimenteel en schijnheilig; hij kan erop aandringen dat ze hem vertelt hoe het met iedereen gaat, dat ze details en gesprekken met hem deelt, maar ook anekdotes over het dorpsleven en nieuwtjes over de andere jongens die ook vertrokken zijn om op kistjes en met machinegeweren de vrede te verdedigen, om het land te redden waarvan hij eigenlijk helemaal niet wist dat het in gevaar was, omdat er niets gebeurde en hij er zich dood verveelde.

Hij vraagt in zijn brieven om nieuws, maar eigenlijk interesseert het hem niet hoe het met zijn broers en zussen gaat – ze slapen nog steeds in de kamer naast die van zijn ouders, met z'n vieren bij elkaar in bed, ja, dat weet hij, en vier anderen in de achterkamer, dat is acht, plus nog een paar die elders slapen, als knechten op boerderijen, en dan zijn er nog een paar die voor de eeuwigheid in een grafkist liggen.

Hier heeft hij tenminste een bed voor zich alleen. Hij heeft geluk, vertellen ze hem steeds. Want hier zijn de barakken van betonmetselsteen, terwijl ze elders tenten hebben, en het mes van een fellaga gaat net zo gemakkelijk door tentzeil als door boter, en een kogel nog beter, leggen ze hem uit.

Ja, het is hier goed.

Hij kan aan Solange schrijven dat hij het veel slechter had kunnen treffen. Ze zitten niet ver van Oran, hij meldt dat hij zijn neef Rabut heeft gezien en dat ze Mireille hebben leren kennen, en nog een paar anderen, Philibert, Gisèle, Jacqueline.

Hij vertelt dat ze tegen acht uur verzamelen en in de houding staan terwijl de driekleur wordt gehesen. Als ze de vlag tegen de blauwe hemel zien proberen ze te geloven dat ze hier zijn voor zoiets als een ideaal, een idee, een bepaalde grootsheid, een beschavingsoffensief, zoals het heet in de folders die hij bij aankomst heeft gekregen.

Er worden opdrachten gegeven, doelen gesteld, en de stemming van de commandant is de barometer van de dag. Onderhoudswerkzaamheden, een wapenschouw, slaapzaalcontrole, instructie van nieuwkomers, schietoefeningen. Ze zitten hier om grote olietanks te beschermen, ze zitten klem tussen de heuvels en de zee. Ze beschermen ook de directeur van de raffinaderij en zijn gezin. In het begin waren ze verbaasd dat er een Algerijn op die post was aangesteld: als die vaten zo belangrijk waren en olie zo'n kostbaar product was, hoe kon het dan dat een Algerijn er verantwoordelijk voor was, vroegen ze zich af, want ze wisten nog niet dat er ook een Noord-Afrikaanse bourgeoisie bestaat.

Je ziet die man trouwens bijna nooit, en zijn vrouw nog minder. Ze blijft binnen, in het huis dat in het kamp staat maar wel zo achteraf dat je het gevoel kunt hebben dat je ver weg bent. Als je er op ronde langsloopt of de wacht moet houden, moet je achter hun huis langs, een stenen huis zoals je ze veel in Frankrijk ziet, een eenvoudige kubus met een verdieping erop, dan moet je eromheen lopen, voorbij de kleine moestuin tot aan het prikkeldraad. Het maakt de ronde aanzienlijk langer en niemand komt er graag, want het is erg ver van de rest van het kamp verwijderd en daarom vrij angstaanjagend, vooral 's nachts. Het is er donker, je loopt met je geweer in je handen, je buigt voorover om beter te kunnen zien, je bent op je hoede.

Soms komt er licht door een raam.

Hij schrijft Solange maar niet dat sommige soldaten beweren dat ze het silhouet van de naakte vrouw achter het gordijn hebben gezien, of haar zelfs zonder kleren voor het raam hebben zien staan. Niemand gelooft het, maar toch blijft iedereen weleens treuzelen onder het raam van de enige burgers in het kamp om te zien of er misschien.

Maar nee, nooit.

Wel kan hij zeggen dat ze de man vaak heel vroeg in de morgen de binnenplaats zien oversteken naar zijn kantoor, dat gevestigd is in een noodgebouwtje aan de andere kant van het kamp. Ze snappen niet precies wat hij de hele dag doet. Ze weten dat hij bezoekers ontvangt, en regelmatig komen er vrachtwagens die door een heel onderdeel geëscorteerd worden, zo bang zijn ze voor aanslagen. De vrachtwagens worden geladen en rijden dan weer weg.

Soms zien ze ook het dochtertje van het echtpaar. Ze draagt altijd donkere kleren en Bernard komt haar vaak tegen op zijn wachtronde, met Février, Nivelle, Poiret of een ander.

Als ze dicht bij het huis komen horen ze soms een zuigeling huilen.

Het meisje is verlegen of misschien wel bang, dat is moeilijk te zeggen. In elk geval antwoordt ze met neergeslagen ogen als ze haar vragen hoe ze heet en hoe oud ze is. Fatiha, mompelt ze.

Fatiha is acht.

Dan middageten en siësta. Van die vreemde, lange dagen die hij van vroeger kent, als de koeien in de wei staan en de enige muziek die je hoort het zoemen van de vliegen en je eigen zware, hijgende ademhaling is, in de schemertoestand van een middagslaapje.

Maar hier is het anders. Hier is hij niet de enige die alleen is, hier zijn ze allemaal samen alleen.

En vanmiddag is hij ook niet de enige die geen zin in praten heeft.

Ze lopen zonder iets te zeggen. Ze luisteren naar de krekels en het geluid van het grind dat onder hun voeten knispert, ze lopen gewoon achter de voorste man aan, zonder te weten waarheen, zonder ernaar uit te zien. Ze horen Nivelle praten over de boeren van hier, hij zegt dat hij medelijden met ze heeft omdat er vast niets groeit op deze grond. En dan antwoordt Abdelmalik dat hij zich van vroeger herinnert dat hier koren stond, dat er koren werd verbouwd, maar dat de boeren in de verzamelkampen de grond niet meer kunnen bewerken.

'Noem je dit aarde?'

'Ja, vroeger stond hier koren.'

En ze spreken ook over de enorme olijfbomen, bijna grijsachtig groen, die je bij ons niet hebt; alles is hier zo wit, zo melkachtig, zonder enige schaduw of reliëf, zelfs de heuvels vallen weg tegen de lucht, zelfs het blauw is niet blauw maar als het ware opgelost in een wittige nevel waarin de berg en de hemel versmelten. Ze hebben alle tijd om ernaar te kijken. Want ze komen niemand tegen. Ze zien geen mens. Alleen maar stenen, stof, vliegen die tegen je bezwete gezicht plakken; ze turen met halftoegeknepen ogen naar een berg stenen, zo'n honderd meter verderop, een paar gebouwtjes, de omtrek van een gehucht.

Ja, van ver lijkt het op een gehucht.

Een paar muurtjes met hier en daar een verpieterd geel struikje, dun onkruid, hondsgras, waar vroeger gezinnen hebben gewoond en huizen hebben gestaan. Bernard begrijpt niet waarom ze de mensen verjaagd hebben, maar hij voelt aan dat het beter is om niets te vragen. Zonder iets te zeggen lopen ze over paden die ooit stegen zijn geweest.

Soms zie je een interieur dat helemaal van leem is gemaakt. Soms hebben de voorwerpen een bepaald dessin en zijn ze geheel of gedeeltelijk versierd met grote tekeningen, vaak van slangen.

Ze trekken verder, er is geen reden om hier te blijven, het lijkt wel een kerkhof. Bernard moet denken aan wat hij gehoord heeft over Oradour-sur-Glane, en hij krijgt dorst van die gedachte, een vreemde dorst die meteen gelest moet worden, als de anderen alweer op weg zijn en hij een paar seconden verloren in de leegte staat, met de blik op een kapotte kruik in wat vroeger misschien een keuken was.

Als ze later in het verzamelkamp aankomen, moeten ze rondlopen, inspecteren, en nu kijkt Bernard naar de mensen en hij vraagt zich af wat hij zelf eigenlijk zou doen als er soldaten naar de gehuchten rond La Migne zouden komen die alles kapotmaakten en verwoestten, en hem zouden beletten om de akkers te verzorgen en de grond te bewerken.

Hij probeert het zich voor te stellen.

Al die mensen die niets te doen hebben, samen ondergebracht in kampementen. Hij probeert het zich voor te stellen en vraagt zich af of hij zelf net zo gereageerd zou hebben als deze mannen in het kamp, die plastic teiltjes op de grond zetten, die doen of ze winkelier zijn met een stuk of drie teiltjes te koop, of chauffeur, ook al hebben ze geen auto maar alleen een rijbewijs op zak, of anders timmerman, waarom ook niet; is het genoeg om in een koffieblik wat oude roestige spijkers te bewaren om de vernedering te kunnen dragen dat je geen werk hebt, zouden de mannen die hij van vroeger kent het kunnen verdragen dat ze niet bij hun oogst kunnen komen en dat hun kinderen achter prikkeldraad zitten?

Je ziet mannen in wollen djellaba's die uren achter elkaar zitten te zwijgen.

Als cementzakken zo onbeweeglijk, en Bernard heeft geen idee waar ze op wachten: hij probeert zich alleen voor te stellen hoe zijn eigen mensen zo'n vernedering zouden ondergaan, hoe een boer van bij hem zich zou voelen als zijn bestaansreden hem ontnomen was. Hij stelt zich voor hoe zijn broers met andere kinderen rond de pomp spelen, zoals hij hier ziet, met speelgoed gemaakt van stukjes ijzerdraad – wielen zo dun als strootjes, wagentjes zo breekbaar als papier, en de blikken van twee zusjes van wie er een vlechten heeft en het andere een roze jurk draagt met lichtblauwe zwaluwen met een randje van gouddraad om de vorm te accentueren.

Ze kijken aandachtig naar de mensen. Hij weet niet precies waarom hij ze bekijkt, hun armoede, alsof hij zoiets nog nooit gezien heeft, maar hij is zo moe, zo afgemat, wat gebeurt hier in godsnaam, je ziet toch dat het nergens op slaat, kom op, allemaal naar huis, weg van die blikken die je kruist en waar iets angstaanjagends van uitgaat, stilte, ernst en glanzende ogen – van koorts of van woede?

Het is niet te zeggen.

Het is niet te zeggen waarom, maar iedereen is bang.

En Bernard proeft weer de smaak in zijn mond van afgelopen nacht, maar dan zoeter, smartelijker; de mensen kijken naar de soldaten, die langzaam, heel langzaam tussen de barakken door lopen, en hij is een van die soldaten, een van die piepjonge mannen die overal tussendoor lopen.

Hij loopt rustig rond; diep van binnen vindt hij dit vierkante kamp met zijn gemeentehuis, waterpomp en armoede absurd, dit kamp met zijn ondervoede kinderen met vet haar en de verbaasde blikken als we binnenkomen zonder iets te vragen, zonder dat ze iets tegen ons durven beginnen.

Want in het kamp lijkt altijd alles kalm en vreedzaam, gelaten, maar je hebt er ook de vuurspuwende blikken van de vrouwen, de baby's met hun dichte oogjes en opgezwollen buikjes, en de mannen die er maar zitten te wachten zonder een woord te zeggen.

Morgen gaat een deel van de manschappen naar Oran. Bernard niet, hij moet op zijn post blijven.

De hele dag moet hij hier blijven, wachten tot de anderen terugkomen, de middag doorbrengen met denken aan wat hij misloopt. Hij heeft geen zin om met Nivelle over techniek te praten. Het weer is warm en drukkend, ook al zorgt de nabijheid van de zee voor enige verkoeling. Hij doet een middagdutje en wandelt een deel van de middag over het terrein, uit verveling of om zijn benen te strekken, en vandaag ziet hij de kleine Fatiha in de schaduw van een olijfboom zitten.

Ze is aan het spelen en ziet hem niet direct. Als ze haar ogen naar hem opslaat, glimlacht hij naar haar en vraagt wat voor spelletje ze doet. Hij loopt naar haar toe en zij legt het hem uit, met een vrij zachte, maar zelfverzekerde stem – een stem zoals een achtjarige denkt dat een volwassene klinkt – en ze tutoyeert hem zonder enige aarzeling.

'Je neemt een paar olijven, geen rijpe maar ook niet al te hard, en die gooi je zo op (ze gooit de twee olijven op die ze in haar hand houdt) en kijk, dan draai je je hand om, en dan moet je ze met de rug van je hand vangen, en als je mist geeft je tegenstander een tik met de vingers op je hand, zo, één tik voor elke olijf die je mist, kijk, nu heb ik er één gemist dus nu moet jij mij één tik met je vingers geven.'

Hij hurkt bij haar neer, ze spelen een paar minuten samen totdat ze helemaal opgaan in het spel. Bernard gooit de olijven op en vangt ze niet altijd. Hij vindt het leuk hoe Fatiha haar hand ernstig naar de zijne brengt om op de rug van zijn hand te slaan, waarbij ze heel luid het aantal tikken telt.

Hij wil ook met iets komen, hij bedenkt iets en de ingeving bevalt hem zo goed dat hij plotseling moet lachen en aan Fatiha vraagt of ze met hem meegaat. Ze aarzelt, ze moet even nadenken, dan antwoordt ze dat haar moeder niet wil dat ze veel met de soldaten praat, maar goed dan, dat is dan hun geheim, haar moeder hoeft het niet te weten.

Als ze op de slaapzaal aankomen is die niet leeg: er zit een mannetje of vier, waaronder Poiret en Nivelle. Bernard en Fatiha lopen naar een doos met de schildpad erin.

'Dat is onze mascotte. Zij hebben hem gevonden.'

'Een schildpad? Ik wist niet dat je die hier had.'

'Nee, wij ook niet.'

Dan komen Poiret en Nivelle ook dichterbij en ze kijken met z'n allen naar het dier. Poiret pakt het voorzichtig uit de doos, de pootjes van de schildpad zien eruit als de ledematen van een zwemmer met een vertraagde schoolslag die je van onderen ziet, en Fatiha doet een stapje achteruit, heel even is ze bang, griezelt ze, maar ze moet ook lachen van verbazing en verrassing, en dan reikt Poiret haar de schildpad aan en zegt dat ze voorzichtig moet zijn, want zijn tandjes zijn scherp en de klauwtjes aan zijn poten ook.

Fatiha vraagt of ze nog eens terug mag komen, de mannen zeggen ja, wanneer ze maar wil.

Als ze weggaat, loopt Bernard met haar mee. Hij loopt naast haar tot ze begint te rennen om haar step te halen, die ze bij de vrachtwagens heeft laten staan, een heel stuk van haar huis.

Dan wacht hij weer. Tot de anderen terugkeren uit Oran.

Bernard is teleurgesteld dat hij niet mee mocht, want de stad is elke keer een hap frisse lucht. En nu wacht hij weer op degenen die wat te vertellen hebben en de post meebrengen, waar iedereen naar uitziet.

Hij herinnert zich de eerste keer dat hij naar Oran ging, de half-track voorop, de jeep erachter, en niemand die dacht aan het risico van een hinderlaag, maar uitsluitend aan die paar uurtjes waar ze alles voor overhadden, want ze wisten dat ze na de ravitaillering op de commandopost de rest van de middag zouden kunnen doorbrengen in de straten en kroegen van de stad, dat ze naar muziek konden luisteren, dat soort dingen, niets leek onmogelijk als je besefte dat je even weg was van die grote tanks die de horizon aan de ene kant afsloten en de heuvels die aan de andere kant hetzelfde deden.

Ze lopen in een grote groep door de stad, ze kijken naar de etalages en de palmbomen – ze zien de zee en horen het verkeer, ze weten nog niet hoe alledaags en afgezaagd de bijzondere verschijning van een gesluierde vrouw is. Hier twee op een scooter. Daar eentje die gehuld in glanzend witte doeken rondrijdt, je ziet haar gefronste wenkbrauwen en ogen die recht voor zich uit kijken. Er is een detail aan haar dat ze allemaal heel leuk vinden: dat ze gele plastic schoenen met naaldhakken draagt.

Dat ze allemaal heel leuk vinden, of niet. Dat ze verbaast en in verwarring brengt. Dat ze op het idee brengt om de vrouwtjes op te zoeken bij jeweetwel.

Hij was niet met de anderen meegegaan, dat herinnert hij zich, hij weet nog dat hij zijn neef Rabut ging opzoeken in de wijk Choupot, na eerst een wandeling door de stad te hebben gemaakt met Idir, waarbij hij zich erover verbaasde dat hij hier liep te zwijgen met een Algerijn die hem de weg wees zonder met hem te praten, zonder dat een van beiden de moeite nam iets tegen de ander te zeggen – het idee om elkaar iets te vragen kwam niet bij ze op, daar dachten ze niet aan, ieder van hen ging gewoon doen wat hij van plan was.

Bernard weet dat Idir zijn familie gaat opzoeken en dat is genoeg voor hem. Hij weet niet dat Idir dienst heeft genomen om Frankrijk te verdedigen net zoals zijn grootvader dat indertijd deed, de held van de familie, geridderd, met eerbewijzen overladen, die een arm heeft verloren in de modder van Verdun.

Bernard vraagt niets, ze lopen gewoon en kijken naar de stad.

ALGERIJE ZAL OVERWINNEN. ALGERIJE VRIJ, staat er op de muren.

De leuzen zijn weggepoetst, afgekrabd, er is dun overheen geverfd maar daarbij zijn wel de contouren van de letters gevolgd, zodat de graffiti nog steeds leesbaar is. Ze doen alsof ze niets zien, maar iets ervan blijft in de vorm van twijfel en onzekerheid hangen in de geluiden van de stad en de stilte van de beide mannen: voor Bernard een vage angst, een voorgevoel als het ware.

Hij bedenkt dat sommige mannen en vrouwen die ze tegenkomen hem dood willen hebben, en met hem alle anderen die een uniform dragen.

Maar tegelijkertijd lijkt het allemaal gespeeld, omdat de zon schijnt en ze in de stad zijn, waar je gesprekken over niets hoort, gelach en lawaai, een levendige stad met het geluid van auto's en scooters, met een man die voor zijn slagerswinkeltje toekijkt hoe kinderen op blote voeten op een pleintje balletje trappen met een conservenblik dat bij het rollen verschrikkelijk veel lawaai maakt en af en toe tot stilstand komt tussen de schooltassen en vesten die dienstdoen als doelpaal.

Is dit nou oorlog?

Hij denkt terug aan de middag met Rabut, die vertelt

dat hij veel foto's maakt, dat de krant *Le Bled*, je weet wel, *Le Bled*, een wedstrijd had uitgeschreven en dat hij een Kodak heeft gewonnen. Sindsdien maakt hij voortdurend kiekjes, van zijn maten, van het landschap als ze eropuit gaan, van gesluierde vrouwen en mensen op de markt. Maar meestal van achteren, want ze vinden het niet prettig om gefotografeerd te worden.

En hij herinnert zich ook de ontmoeting met Mireille en de terugreis met al zijn opgefokte kameraden: ze hadden gedronken, ze waren bij de vrouwtjes geweest en zaten hem nu een beetje te pesten: 'En, hoe was het bij je neef?'

En hij bekijkt zijn maten zonder een spoor van een glimlach. Hij vindt het choquerend dat ook Février naar de hoeren was gegaan. Hij kijkt hem aan zonder iets te zeggen en Février voelt in die stilte, in die genadeloze blik het verwijt dat hij hem maakt: Éliane.

Février haalt zijn schouders op, alsof hij wil zeggen dat dat er niets mee te maken heeft. Hij vertrouwt Bernard zelfs toe dat het niet echt vreemdgaan is als je het met een prostituee doet, en zoals hij het gedaan heeft al helemaal niet. Bijna fluisterend, dicht bij zijn oor, vertelt hij dat hij niet met die vrouw geneukt heeft, dat hij wel mee naar haar kamer is gegaan maar dat hij niet met haar geneukt heeft, dat hij alleen zijn riem heeft losgedaan, zijn broek heeft laten zakken en met gesloten ogen is blijven staan terwijl hij het hoofd van de vrouw naar zich toe trok en zijn handen door haar haren liet gaan op het ritme van haar bewegingen.

Verder niets, en dat is niet echt vreemdgaan.

Als de mannen van het konvooi tegen het einde van de middag terugkomen, hebben ze de post bij zich. Février is in een slecht humeur, dat merkt Bernard meteen. Hij voelt de vijandigheid, woede en teleurstelling van zijn vriend: geen brief voor hem, Éliane heeft hem al twee weken niet geschreven.

Wat Bernard als hij de brief van Mireille krijgt nog niet weet, is dat hij binnenkort ook erg teleurgesteld, ja, zelfs woedend zal zijn. Maar nu weet hij dat niet. Nog niet. Nu houdt hij een envelop in zijn handen, zijn vingers trillen, heel zijn wezen trilt, en het lijkt of het geluk op zijn wangen en voorhoofd geschreven staat, uit zijn ogen valt af te lezen.

Maar niet voor lang.

Niet dat Mireille iets meldt waarvan de toon of de sfeer hem te denken geeft. Integendeel, het is een lange brief, waarin ze vertelt hoe graag ze hem weer wil zien en zelfs voorzichtig plannen maakt voor later. Maar wat ze tussen neus en lippen door vertelt, alsof dat voor hem strikt onbelangrijk zou zijn en voor haar eigenlijk ook, is dat ze vaak, nee, niet vaak, maar af en toe, één keer in het café en twee keer in een dancing die 's middags open was, neef Rabut heeft gezien.

Ze zegt dat hij een 'schatje' is, een woord waarvan Bernard daarvoor nog niet besefte dat hij er minachting en afkeer voor voelt, omdat hij toen nog niet wist hoe minachtend en laf een woord kan zijn, net als een neef, net als de neef in kwestie, Rabut. Bernard zit een hele tijd boos te piekeren en voor het eerst voelt hij een soort woede en wrok jegens Mireille vanwege haar ondoordachte woorden en lichtzinnige gedrag.

Omdat zijn jaloezie een gevoel is waarvoor je je moet schamen, praat hij er met niemand over.

Een deel van de avond zit hij met de anderen te kaarten in de recreatieruimte. Als hij ophoudt met spelen en bij Février aan tafel gaat zitten, voelt hij zich bijna opgelucht, alsof hij nergens meer aan hoeft te denken. Maar Février denkt wel aan iets. Die drinkt bier en vraagt Bernard of hij niet naar buiten wil, het is hier zo'n herrie. Buiten lopen ze langzaam rond terwijl Février vertelt hoe erg hij het vindt dat er uit de postzak alweer geen brief voor hem is gekomen, niet één, niet eens van zijn ouders, goed, die kunnen niet schrijven, maar zijn broers en zussen zouden ook weleens wat van zich mogen laten horen, maar nee hoor, en Éliane.

Als zij maar.

Als een kramp in je buik, je maag. Zo onrechtvaardig, en dan nog steeds die stomme hoop waar je je aan vastklampt, hoewel Février en Bernard allebei allang weten wat Éliane niet wil zeggen en wat ze toch duidelijk maakt door geen brieven meer te sturen.

Dan vertelt Février lachend dat hij vandaag weer met zijn maten bij de hoeren is geweest. Dit keer niet bij die van de vorige keer.

'Nee,' zegt hij, 'een andere, veel knapper, blond met enorme tieten, je zou haar eens moeten zien! Ik wilde niets liever dan op bed gaan liggen en haar borsten aanraken, ik werd helemaal gek.'

En hij grinnikt. Bernard moet ook lachen.

'In liefde en oorlog is alles geoorloofd, toch? Maar nee, ik heb gewoon net zo gedaan als de vorige keer, ik dacht aan Éliane en zei tegen mezelf: het kan niet voorbij zijn, het kan niet zomaar voorbij zijn, nee, dat kan ze me niet aandoen.'

'En toen?'

'Toen heb ik mijn broek laten zakken en ben ik blijven staan alsof ik in de houding stond.'

Ze moeten beiden lachen om die absurde, ongepaste beeldspraak. Daarna zwijgen ze, Février vertelt niet dat hij eigenlijk zou willen huilen en dat hij zijn uiterste best doet om dat te verbergen.

En dan die dokter die uit Oran is overgekomen voor het medische onderzoek, waarbij iedereen klaagt over de honger, dat ze genoeg hebben van steeds hetzelfde eten dat niet zozeer smerig is als wel ontzettend eentonig. Dat hoort hij overal, in elk kamp, zegt de dokter, alsof het feit dat anderen onder hetzelfde euvel gebukt gaan rustgevend of geruststellend kan zijn. De dokter zegt dat hij er niets aan kan doen, maar ze merken aan zijn onzekere blik dat hij het begrijpt. Ja, zulke jonge kerels zouden meer moeten eten.

Als Bernard bij de dokter vandaan komt, ziet hij Idir en Châtel op de binnenplaats: Idir is woedend, hij daagt Châtel uit, geeft hem duwen die al gauw klappen worden, steeds op dezelfde plaats, en opeens zijn ze ook te horen en zetten ze zijn woorden kracht bij: 'Wat zeg je nou, hoe bedoel je dat? Had je wat?'

Châtel glimlacht eerst nog en gelooft niet dat de ander het meent, maar zijn glimlach bevriest als hij begrijpt dat Idir bloedserieus is; hij wordt doodsbleek en geeft geen antwoord, of alleen vaagjes, niksig, met een trillende stem die bijna even kleurloos is als hijzelf of het stof dat in de commotie opstuift.

Aanvankelijk staan de anderen te treuzelen. Een enkeling wil ze uit elkaar halen. Maar de anderen zeggen: 'Nee, laat ze, dan hebben wij ook eens lol.'

Ze lachen, sluiten weddenschappen af om een paar peuken, gaan in een kring om hen heen staan op de binnenplaats, steeds dichter tegen elkaar aan, ze roepen van alles en Idir wordt steeds bozer omdat hij voelt dat Châtel niet wil vechten, niet wil slaan. Idir denkt dat het lafheid is, Châtel is gewoon een lafaard, en Idir begint hem uit te schelden, want een man die een ander uitdaagt moet bereid zijn om te vechten, zich te verdedigen, je kunt geen toespelingen maken en er dan niet voor opkomen, zoals Châtel doet.

Bernard komt dichterbij, hij vraagt aan Nivelle waarom ze op de vuist gaan.

Omdat Châtel heeft gezegd dat het onzin is wat we hier doen en dat de harki's Algerijnse verraders zijn. Dat kon de ander niet waarderen. Hij zei dat hij zijn gezin ook moest voeden en dat het leger een gewone baan was, en dat hij net zo Frans was als iedereen hier.

Daarom vechten ze.

Dat wil zeggen, Châtel heeft niet goed door wat er gebeurt en doet niets, laat zich nauwelijks opzwepen door de klappen op zijn schouder; zijn lichaam wankelt bij elke klap, zijn heupen, benen, voeten volgen de klappen, hellen licht achterover en dan weer naar voren, ze strekken zich en maken een steeds wijdere boog. De anderen moeten er eerst om lachen, dan beginnen ze hem uit te schelden omdat hij niets terugdoet, ze maken hem uit voor watje, voor mietje, dat kan toch niet, kom op man, sla er nou op! En Châtel wordt steeds bleker en zoekt in het publiek naar iemand die hem kan helpen, kan redden, iemand die hem begrijpt, die hem kan uitleggen wat hij hier doet en waarom hij klappen krijgt, waarom een Algerijn hem klappen geeft terwijl hij hier toch is om de Algerijnen te verdedigen. Hij snapt er niets van. Het liefst zou hij zijn excuses willen aanbieden, zeggen dat hij niemand heeft willen beledigen. Maar de anderen willen dat hij erop slaat. Daarom geeft hij een paar onhandige, krachteloze tikken, alsof hij te moe is om goed te mikken, alsof hij geen kracht in zijn armen heeft.

De korporaal komt dichterbij, maar niemand let op hem. Hij kijkt toe, zonder iets te zeggen. Idir slaat één keer, één enkele keer, en Châtel stort ter aarde, hij probeert op te krabbelen, maar valt weer neer, onder luid gejoel en gelach, ze vermaken zich kostelijk, hij amuseert hen, en Châtel wordt niet boos maar hij voelt iets in zich knappen, de woorden en het gelach doen hem evenveel pijn als de klappen, ze roepen dat hij overeind moet komen en moet vechten, en hij probeert het uit alle macht, hij zou het best willen maar alles in hem verzet zich, zijn lichaam wil niet, dat weet hij, en hij zou ook tegen zichzelf willen vechten.

De korporaal stapt de kring in en vraagt wie er begonnen is. Idir verdedigt zich, zegt dat de ander hem beledigd heeft, dat die gezegd heeft ...

En dan zwijgt hij, weigert hij nog iets te zeggen.

Châtel staat op en kijkt beurtelings naar de korporaal, naar Idir en naar de mannen om hen heen. Hij zegt dat het hem spijt. Hij zweert dat hij Idir niet wilde beledigen maar dat wil de ander niet geloven, en dan komt de stem van de korporaal tussenbeide, ze staan quitte, het is goed zo. Alle mannen hier zijn Frans en allemaal staan ze onder zijn bevel.

De volgende dag is de voornaamste gebeurtenis van de dag niet de knokpartij van Châtel en ook niet wat iedereen heeft onthouden van wat de korporaal zei. Alsof dat plotseling een andere tijd is, iets van langgeleden. Want de stem van de korporaal klinkt lang niet meer zo energiek als hij hun op de binnenplaats waar ze zich hebben verzameld, moet vertellen dat de dokter op de terugreis naar Oran is ontvoerd. Er is sprake van een hinderlaag. Er wordt gesproken over schoten, over een auto die in handen van de fellaga's is gevallen.

Die jeep is al teruggevonden, met twee gendarmes met doorgesneden keel. De dokter zat er niet meer in.

Het gevoel van machteloosheid wordt nog groter als ze horen dat er mensen van een ander onderdeel komen om iedereen te ondervragen, en dat manschappen van het vreemdelingenlegioen de heuvels zullen uitkammen. Ze zeggen tegen zichzelf: wij kunnen ook niks, even voelen ze zich vernederd en nutteloos.

Ze beseffen niet dat hun dit keer het vuile werk wordt bespaard.

Ze voelen zich boos en als ze 's avonds naar de recreatieruimte gaan, kun je die boosheid bespeuren in de koortsachtige manier waarop ze hun broekzakken leegmaken om sigaretten en vooral blikjes bier te kopen: ze verdringen zich bij de toog, het is drukker dan anders. Ze drinken bier, niemand speelt tafelvoetbal. Zelfs het kaarten gebeurt in stilte, er wordt niet bij gelachen.

Nog meer stilte.

En als Février de slaapzaal binnenkomt met zijn blikje in de hand, blijft hij een ogenblik lang verbaasd staan: daar zitten Bernard en Châtel naast elkaar met gevouwen handen, gebogen hoofd, gesloten ogen. Ze bewegen nauwelijks als hij binnenkomt. Maar hij blijft staan, hij gaat niet weg. Hij voelt zich uiteraard een beetje ongemakkelijk, maar hij begrijpt het wel. Pas later praten ze erover.

Hij zegt: 'Bidden zal de dokter heus niet helpen.'

'Misschien zal het ons helpen?'

'Bernard, geloof je dat? Geloof je dat echt?'

'Ik weet het niet. Ik weet wel dat het mij helpt.'

'Jou wel, maar de dokter?'

En als Châtel iets wil zeggen, krijgt hij de kans niet zijn mond open te doen of een gebaar te maken, zo snel zegt Février: 'Leg jij dan maar uit aan de vrouw van de dokter wat voor sukkels wij zijn, hè, doe dat maar. Ga dat maar vertellen.'

Châtel geeft geen antwoord.

Hij blijft bewegingloos zitten met de blik strak op Février gericht, het is voor het eerst dat hij hem op deze toon hoort praten, zo heftig. Met een lichte, haast onmerkbare trilling, een angst die maar net verborgen blijft achter het handgebaar waarmee hij het blikje naar zijn mond brengt; het geluid van het bier dat naar het keelgat gaat, de slok met een kort, klokkend geluid en direct daarna stilte; er zit iets van angst in de lucht, in de abrupte manier waarop Février diep inademt, maar evengoed in Bernard en Châtel.

Dan glimlacht Février weer, hij wijst op zijn blikje: 'Nou makkers, ieder zijn god, zullen we maar zeggen!'

En de nachten zijn nu heel anders. In de stilte klinkt geen rust of zachte verkoeling meer door maar angst, een angst die je langzaam bekruipt als je aan de dokter denkt en aan de twee gendarmes die vermoord zijn teruggevonden; en je probeert er niet aan te denken dat jij in de plaats had kunnen zijn van die mannen aan wie je nu denkt, je ziet nog voor je hoe ze in de middag wegreden over het pad, en je beseft dat alle oplettendheid, elk wapen binnen handbereik niets had kunnen uithalen. Daar moet je vooral 's nachts aan denken, en je vertelt het aan niemand. Want dan moet je uitleggen waarom je diarree hebt, waarom je buikkrampen en gebrek aan eetlust hebt, waarom je liters water drinkt en toch aldoor dorst hebt.

Een paar dagen later wordt het lichaam gevonden, niet ver van het kamp, op een plek waar een paar uur eerder op dezelfde dag telegraafpalen zijn omgezaagd.

Iedereen zegt: dus daarom hebben de fellaga's die telegraafpalen omvergehaald. Omdat ze wisten dat er mensen zouden komen om ze te repareren en die het lichaam zouden vinden voordat het verscheurd werd door jakhalzen of zwerfhonden of onherkenbaar zou worden door de verschroeiende, verzengende zon. Ze wilden dat het intact, je zou kunnen zeggen léésbaar genoeg was om iedereen duidelijk te maken welke boodschap hier werd achtergelaten, welk statement er werd gemaakt. Daarom hebben de fellaga's die palen dus omgezaagd. Zodat er mensen naar een plek zullen komen waar ze het lijk kunnen achterlaten zonder het risico te lopen om betrapt of gezien te worden, als er iemand in de buurt is.

Dat vermoeden ze.

En ze zien de mannen terug naar het kamp komen. De mannen die de palen hebben gerepareerd en degenen die meegingen om ze te beschermen. Die het over de radio al hebben laten weten. Dan de mannen, onder wie Nivelle en Bernard, die met het geweer over de schouder in de half-track van de hospik stappen, zonder nadere instructies, zonder goed te weten wat hun te wachten staat. Wat ze zichzelf ook voorhouden. Veronderstellen. Want de ziekenverzorger gaat ook mee, en dus gaan ze met de ambulance. Het stof op de weg. De wind die tegen de golfplaat van het voertuig en op het zeil met het rode kruis slaat, het zand als hagelkorrels, de hobbels in de weg, het kuchen en ronken van de motor, het zware gebrom en de trillingen van onder hun voeten die door de vloer heen komen, hun adem die ze nu al inhouden; ze kijken recht voor zich uit en daarna ook opzij naar de rij olijfbomen in de verte, ze weten dat schuin onder hen de wadi ligt, de weg die ze zo langzamerhand wel kennen; en de angst die ze voelen opkomen kennen ze ook.

Zo arriveren ze op het verzamelpunt. Ze worden opgevangen, ze zien een jeep en de radiotelegrafist. Ze horen de stem van de kapitein, die zich opwindt en zich vastklampt aan de hoorn van de zendinstallatie.

Negatief! Negatief!

En ze begrijpen het niet. Wat verderop staan mannen te roken en naar de grond te kijken, ze zijn lijkbleek, maar dat valt hun nog niet op: bij hen staat een Arabier in djellaba. Met de hoorn nog in de hand zwijgt de kapitein opeens, dan kijkt hij ze aan: 'Jullie mogen hem hebben.'

Hij wijst op een vormeloze hoop onder aan een talud, dicht bij een van de telegraafpalen die aan de onderkant is doorgezaagd en nog niet helemaal is omgevallen, in het luchtledige hangt.

Ze weten al dat het om een lijk gaat. En Bernard vraagt zich af of hij zometeen iemand met doorgesneden keel zal zien? Bernard denkt terug aan alle verhalen die in Frankrijk de ronde deden en waarvan hij thuis of op de zondagmarkt flarden had opgevangen, die gingen over verschrikkelijk verminkte lichamen, over een gruwelijke aanblik die je je probeerde voor te stellen, zonder dat je daar ooit echt in slaagde. En hij kijkt naar de gestalte, een paar meter verderop naast het talud. Eerst ziet hij niet het lichaam maar alleen de blote voeten van de man, vuile voeten, wit van het stof, net als de broek. Hij bedenkt dat de mannen die hem gedood hebben zijn schoenen hebben meegenomen.

Ze lopen langzaam door. Eerst praten ze nog, dan zwijgen ze, ze schrapen hun keel en wisselen blikken van verstandhouding, ja, we gaan – het lichaam ligt in een vreemde houding die ze eerst niet kunnen thuisbrengen, alsof het op de zij ligt, met de rechterarm onzichtbaar en het hoofd naar achteren en opzij, alsof de kin heel ver omhoogsteekt en de keel naar voren ligt – de keel is niet opengesneden, je ziet een wijdopen mond en ogen die al zwart zijn, weggezonken in opgezwollen, bruine oogkassen, haar dat haast grijs is van het stof met allemaal zand erin, en ook zand op de strak staande huid, die vreemde, bijna gebroken kleur van de huid die nog niet gelooid is, nee, die nog niet helemaal verbrand is, want onder de huid en de vorm van de schedel kun je nog een gezicht zien, gelaatstrekken die je nog net kunt onderscheiden maar al bijna niet meer, het menselijke zou heel snel uit dit lichaam verdwijnen, maar nu is het er nog een beetje, maar het begint al een lijk te worden, zoals Bernard tegen zichzelf zegt, zoals hij meent, zoals hij bedenkt – het opzij gedraaide gezicht met de wang die zo diep is ingevallen dat hij haast een tweede mond vormt, en het overhemd waarvan de kraag tot aan de hals is dichtgeknoopt, de hand, de linkerarm die naar achteren gaat en op de borst een stuk papier vrijhoudt waarvan de onderkant zachtjes beweegt, ja, heen en weer klappert met een bijna onmerkbare beweging, en dan kijken ze beter naar de broek vol vlekken, de vlekken en de nu al vreselijke geur, en ze begrijpen wat er gebeurd moet zijn; en de hospik loopt naar het lichaam toe, hij stapt eromheen tot hij bij het bovenlijf staat. Daar buigt hij zich voorover, aarzelt hij even en zegt: 'Nee.'

Hij zegt het nog eens, mompelt het voor zich uit: 'Nee.'

Hij komt overeind, kijkt de anderen aan.

'Verdomme. Godverdomme.'

Hij is lijkbleek, wendt zich dan toch weer naar het lijk en rukt het papier los; hij loopt naar de anderen toe om het hun te laten zien.

Het eerste wat je ziet is een foto. Je begrijpt direct wat de bedoeling is van de fellaga's. Ze gaan hem overal ophangen, dit is propagandamateriaal.

SOLDATEN VAN FRANKRIJK, UW FAMILIE DENKT AAN U, GA NAAR HUIS.

Bernard kijkt niet naar de afbeelding, hij loopt naar het lichaam, hij wil het met eigen ogen zien, hij wil het nu direct weten, en het eerste waar hij naar kijkt is of het lichaam ter hoogte van de keel verminkt is. Maar de keel is ongeschonden. Je ziet de baard van een paar dagen, de glottis en de strak staande huid.

Bernard blijft even staan kijken, verbaasd dat er geen bloed op de keel zit. Hij weigert te zien wat later overduidelijk zal zijn, maar nu ziet hij het niet omdat niemand hem verteld heeft dat dit ook een mogelijkheid is.

Op de terugweg kunnen ze nog niet echt geloven wat ze gezien hebben. En noch het zand, de naargeestigheid of de relatieve koelte van de ochtend en de braakneigingen van hen allemaal – om de beurt, nooit tegelijk, alsof iedereen een eigen, persoonlijke tijdsduur nodig heeft om het tot zich door te laten dringen – kan iets veranderen aan – tja, waaraan, ze weten niet hoe ze onder woorden moeten brengen wat ze zagen toen ze uiteindelijk besloten het lichaam te verplaatsen en op de rug te leggen.

Later, terug in het kamp, praten ze met degenen die van niets weten over het stof en de stilte, de vliegen die al op het lichaam zaten en de andere details, alle details waarmee je een verhaal kunt stofferen om het ogenblik uit te stellen waarop je duidelijkheid moet bieden; de anderen, in de eetzaal, hebben al gauw door dat er iets voor hen verzwegen wordt, de waarheid, dat wil zeggen niet het feit dat de dokter dood is, en ook niet dat dat kortgeleden is gebeurd, op zijn vroegst gisteren of vanochtend, maar – hoe moet je het nou uitleggen aan die jongens die zitten te wachten, ongelovig, nu nog niet boos maar alleen nieuwsgierig, een beetje ongerust of angstig, alert en gespannen van de nieuwsgierigheid, maar nog niet witheet en opstandig, zoals ze dat later, als ze alles hebben gehoord, wel zullen worden.

Hoe vertel je dat hij nog leefde toen ze het deden. Dat ze het een levend mens hebben aangedaan, dat ze zijn huid en zijn spieren hebben weggesneden. Alles, tot op het bot. Ze hebben hem opengehaald van zijn pols tot aan zijn schouder. Je kunt er zo van uitgaan dat de man het skelet van zijn eigen arm heeft gezien. Opengesneden, afgeschraapt. Hij moet steeds opnieuw zijn flauwgevallen, van de pijn, begrijp je, hij zal wel gebruld hebben en zij, de daders met hun – tja, hun wat, hun messen, slagersmessen, hebben hem steeds weer bijgebracht, geduldig en continu, steeds opnieuw, meedogenloos, tot hij begreep dat ze niet alleen zijn arm gingen opensnijden, maar ook de spieren en het vlees weg gingen halen, tot op het bot.

En waarom zijn ze zo precies bij de pols opgehouden, en al even nauwkeurig bij de schouder? De dood was ingetreden, maar pas op het laatste moment, onderweg misschien, vlak bij de plek waar het lijk gevonden is.

Op de foto leeft hij nog, zijn arm is kapot, druipt van het bloed, en je kunt de dokter nog goed herkennen op de foto, ondanks de pijn, ondanks de weggedraaide ogen en wijdopen mond, hij wordt rechtop gehouden met touwen onder zijn oksels. Met in grote letters onder de foto de woorden, de woorden die altijd zullen terugkomen: SOLDATEN VAN FRANKRIJK, UW FAMILIE DENKT AAN U, GA NAAR HUIS.

Dan gaat alles steeds sneller, alles gaat heel vlug, zoals dat gaat: in de ziekenboeg wordt een rouwkapel ingericht, en alle manschappen willen het zien, omdat ze niet kunnen geloven dat zoiets mogelijk is. Diezelfde avond hangen ze in de recreatieruimte aan de bar, Bernard zoekt net als de anderen in zijn zakken naar geld voor sigaretten en een biertje. Nivelle staat naast hem, hij heeft de hele dag geen woord gezegd. En dan de anderen: Châtel komt de slaapzaal niet af, die is aan het bidden. Of misschien huilt hij wel en is hij bang dat hij iemand ziet, wie dan ook, omdat ze hem dan beslist zullen vragen of hij nog steeds hetzelfde denkt over de vrijheidsstrijd. En hij wil zichzelf niet verloochenen. Hij wil niet praten, Février of een ander tegen het lijf lopen, want hij weet totaal niet meer wat hij denken moet.

Hij vraagt zich af of een rechtvaardig doel onrechtvaardige middelen mag hebben. Hoe kun je nou toch denken dat terreur tot iets goeds leidt? Hij vraagt zich af of het goede ...

Hij wil de slaapzaal niet af en blijft dus maar liever alleen bidden. Hij is verbaasd dat Bernard niet ook wil bidden. Dat zal hij pas later doen, helemaal alleen, als het donker is en hij in de stilte van de slaapzaal probeert te vergeten wat hij gezien heeft. Probeert. Zoals hij in de recreatieruimte ook zijn best doet geen betekenis te hechten aan de blikken die hij Idir en Abdelmalik ziet uitwisselen als uitkomst van een discussie die tussen hen al lange tijd loopt, ja, zelfs als een soort uitdaging van Idir aan het adres van Abdelmalik. Want beiden moeten de kaken op elkaar klemmen en er het zwijgen toe doen als ze horen dat de anderen de Noord-Afrikanen honden noemen, honden zijn het, stuk voor stuk, zonder uitzondering – en dan hebben ze het niet alleen over fellaga's, nee, dan hebben ze het over Noord-Afrikanen in het algemeen, alsof alle Noord-Afrikanen, alsof. En beide harki's zwijgen. Wachten. Kijken.

Alsof alleen zij zich nog herinneren waar ze geboren zijn.

Vanaf de volgende dag is het één grote chaos. Zo veel mensen heeft Bernard nog nooit in het kamp gezien. In alle vroegte zijn er versterkingen gekomen. Onder hen ziet Bernard Rabut en anderen uit Oran. Er zijn meerdere eenheden. Ze gaan de sector bedekken met een fijnmazig net, ze blijven waar ze zijn, de hele ochtend, bijna een uur, en wij, van ons is het nog niet bekend wat we gaan doen, óf we iets gaan doen. Voor het eerst heerst er in het kamp geen sleur en routine, dit is nog eens iets anders dan de verveling waar iedereen hier onder gebukt gaat en die een aanslag vormt op het moreel, de intelligentie en de lichamen van de troepen, die elke dag vadsiger worden, terwijl elders in de heuvels onze vrienden gekeeld en in stukken gesneden worden.

Maar nu voelt hij in het kamp aan de manier waarop iedereen zich klaarmaakt een soort energie van woede; het lijkt in de vroege ochtend zelfs alsof niemand ooit zo aanwezig is geweest bij het dagelijkse ritueel van het hijsen van de nationale driekleur – ditmaal wappert in de blauwe lucht als het ware de wens om eropuit te gaan, te rennen en te schreeuwen, te zeggen dat het afgelopen is, en sommigen denken dat als we eenmaal in de heuvels aan het vechten zijn, dat wij dan ook soldaten zullen zijn die het klappen van de zweep kennen en dat we daarna weer naar huis kunnen om de draad van ons leven op het land en in de fabriek weer op te pakken. Zonder angst. Zonder buikpijn of honger, die eeuwige honger, niet langer hoeven walgen van de stinkende latrines of de ranzige zweetlucht in de slaapzaal, Châtel met zijn gebeden en zijn gevouwen handen, het misboek van Bernard en de briefkaart van een lichtgevende maagd boven zijn bed, en de anderen, ieder met zijn eigen verhaal en zijn eigen tics, en de kakkerlakken en ander ongedierte dat overal tussen ons door krioelt: vlooien, schaamluis, hoe vaak je je ook wast, en de eindeloze dagen die altijd hetzelfde zijn. Ze zeggen tegen zichzelf: deze keer lopen we onze laatste sokken kapot, ze zijn toch al versleten in de kistjes die onze voeten laten bloeden, zelfs als we niet lopen; op de rotsachtige grond zullen onze voeten eindelijk eens behoorlijk gaan bloeden en daarna is het misschien voorbij; in plaats van vier dagen verlof voor de veertiende juli zullen ze tegen ons zeggen: 'Zo, nu is het voorbij, jullie mogen naar huis, hartelijk dank, het is weer vrede in Algerije.' Enkel en alleen omdat we uit allerlei holen oude geweren uit de Eerste Wereldoorlog zullen opdiepen, en uit geïmproviseerde schuilplaatsen in grotten broodmagere kerels zullen plukken met ogen die koortsachtig glinsteren, als kerstkaarsjes.

En dan is het allemaal voorbij.

Dat houden we ons voor, daar gaan we van uit. Dat het dan voorbij zal zijn. Zo gaan we allemaal op weg, en uiteindelijk kijken we zelfs uit naar die vreselijke mars, naar gezwollen tenen, gekloofde hielen, brekende huid van een doorzichtige blaas, etterende blaren pus, zwarte nagels met bloed eronder die er bijna afvallen. We willen op pad. Ook al weten we dat het heet wordt, dat we in een rij achter elkaar de hele santenkraam aan granaten en rookpotten moeten meedragen – en wee degenen die niet mee kunnen komen, wee de wankelende achterblijvers wier voetzolen onder het gewicht van hun bepakking, patroongordels en geweren geen grip op de stenen krijgen – en onder het lopen denkt niemand nog aan afzwaaien, ze vinden de energie om door te marcheren onder de zon en te denken: de waarheid is een vernedering.

We hebben maling aan alle verboden – de straffen dalen op ons neer als een regen van kikkers uit een bijbels verhaal, we lopen corvee, ondergaan vernederingen, drukken ons eindeloos vaak op, wisselen van uniform, lopen rondjes over de binnenplaats met het geweer boven het hoofd en de kulas tussen de tanden, of met de enorme vuilnisvaten zonder handvat uit de eetzalen, glibberig van het afval, van onze stront, onze kots, onze maaltijden, onze rotzooi, uitgedroogd vlees, schoenzolen, beschimmeld brood en een hele zooi wormen, blikjes, pap, piepers, rats, kuch en bonen, allemaal in overvolle afvalbakken die je moet meeslepen over de grond zonder dat je een bek mag opendoen over de stank, zonder te vallen, tot aan de vrachtwagen – je treft vast wel een meelevende ziel, een seminarist, een jonge rekruut, een student, een stadsmens, allemaal blanke handen, om je zonder pardon te ontdoen van de troep, van welke troep dan ook, en wij zitten in de djebel om een vijand te zoeken en straks te vinden, maakt niet uit wat voor vijand, deserteurs, fellaga's, bandieten, mannen, vrouwen, schimmen, een jakhals of een paard of alleen maar een beweging in het struikgewas, iets wat een beetje tastbaarder is dan een nachtmerrie onder de struiken en de kruipplanten.

We willen maar één ding: dat dit voorbij is.

Ze besluiten de jeeps en de half-tracks bij de wadi te laten: we gaan te voet verder. Er moeten wat mannen bij blijven, en Bernard en Idir maken deel uit van de groep die moet wachten op de terugkeer van de twee eenheden.

Ze zien de anderen over de rotsen verdwijnen. Bernard heeft geen idee wat er gaat gebeuren, misschien kan hij wel raden dat de bajonetten de losse grond zullen omwoelen op zoek naar de ingang van schuilplaatsen, dat de mannen urenlang strak naar de grond zullen turen en de aarde, het struikgewas en de kleine heesters zullen doorzoeken. En omdat ze niets zullen vinden, trekken ze steeds verder tussen de rotsen door en ze voelen nu al hoe frustrerend en beledigend het zal zijn als ze straks met lege handen terugkeren van de jacht op wie weet wat voor wild.

Ze moeten ver lopen als ze iets anders willen vinden dan verwoeste dorpen die door de inwoners verlaten zijn, of om een bewijs van menselijke aanwezigheid tussen het stof en de stenen te vinden dat iets anders is dan de overblijfselen van blikjes makreel in witte wijn. Ze trekken steeds verder en soms horen ze boven zich het geronk van een Piper, klein als een stuk speelgoed, met een schaduw als van een koppige, stijve vogel die altijd weer terugkeert naar dezelfde zwartgeblakerde, smeulende takken om ons de weg te wijzen en te helpen. Er zijn hier alleen maar uitgedroogde bosjes die net zo naarstig naar water snakken als wij naar fellaga's, wapens en bergplaatsen, en dan schikken we de blauwe sjaal waaraan we herkenbaar zijn maar weer eens over onze linkerschouder, want we zijn ons ervan bewust dat de enigen die we hier kunnen tegenkomen onze eigen mensen zijn, maar je kunt nooit weten en we moeten vooral niet op elkaar gaan schieten.

In de verte speuren we naar iets wat ons de moed geeft om ondanks de warmte door te gaan en ons niets aan te trekken van het geronk van het vliegtuig en van de cirkels die het af en toe boven onze hoofden maakt als het lang op dezelfde plaats blijft hangen, en van onze afkeer van steeds dezelfde palmbomen met hun groene pruiken en de eindeloze schubbige staken van de dadelpalm, en overal die oleanders die niet kapot te krijgen zijn, die krengen die we vroeger mooi vonden, en die eeuwig blauwe hemel, zo eindeloos monotoon blauw als op een ansichtkaart, en af en toe de bijen en altijd de vliegen.

En als we eindelijk bij een dorp komen, verspreiden we ons om het te omsingelen, en dit keer bonken onze harten, want dit dorp is niet verlaten: we hebben zo lang gelopen dat we de verboden, onbewoonbare zone voorbij zijn.

Als de bewoners ons zien aarzelen ze, ze begrijpen niets van die mannen die op hun huizen af rennen met wapens in de hand – een vrouw blijft roerloos op de weg staan met op haar hoofd een takkenbundel die ze met één hand vasthoudt, ze staat daar maar en het duurt even voordat ze het snapt, voordat ze het doorheeft, en dan draait ze zich om alsof er niets aan de hand is.

En verdwijnt ze door een deur.

Bernard en Idir zitten naast elkaar in de schaduw van de jeep. Eerst zeggen ze niets. Dan zegt Bernard dat hij zich niets moet aantrekken van wat de anderen over Arabieren zeggen, dat ze dat doen omdat ze bang zijn en vol woede zitten.

Idir snapt het wel, hij neemt niemand iets kwalijk. Hij zegt: 'Jullie denken dat Kabylen ook Arabieren zijn. Voor jullie zijn alle Algerijnen één pot nat. Ik ben een Berber, geen Arabier.'

Bernard weet niet wat hij moet antwoorden, hij herkent het accent van een Marseillaan nog niet eens! Hij zou dat graag ter verdediging aanvoeren, maar in plaats daarvan knikt hij alleen. Hij wil praten over Abdelmalik, die met de anderen mee is, maar dat durft hij niet.

Dan zegt Idir iets: 'Abdelmalik ergert zich eraan als er zo over Noord-Afrikanen gepraat wordt, hij zegt dat we nooit Fransen zullen worden, wat we ook doen. En dat we wel zeggen dat we vrede brengen, maar dat we gewoon tegen de mensen van hier vechten.'

Hij kijkt Bernard niet aan onder het praten, hij beweegt met een stok en tekent onbegrijpelijke figuren in het zand.

En dan zullen de anderen terugkomen en marcheren ze verder.

Ze zullen nog uren lopen zonder dat ze durven te vragen wat er in het dorp gebeurd is – ze hebben wel een vermoeden, ze hebben schoten gehoord en de zwarte rook gezien die door de lucht trekt met de geur van brandend hooi. Nivelle vertelt ongegeneerd hoe er op zijn vorige post, in het zuiden, met anderen ...

'Ja, die hebben we een poepje laten ruiken.'

En hij herinnert zich een kerel die de oren van fellaga's afsneed en ze vervolgens aanbood aan de sigarettenverkoopster –

'Nivelle, hou je bek.'

Ze hebben hun kamp opgeslagen.

Ze vinden het beangstigend om te moeten slapen in

tenten, maar ze vinden het nog veel angstiger om te worden aangewezen om het geïmproviseerde kamp te bewaken.

Ze weten nog niet dat ze, als ze bijna ondanks zichzelf in slaap zullen zijn gevallen, wakker zullen schrikken van een kanon dat buldert door de nacht. Ze kijken elkaar eerst aarzelend aan, en pas bij het tweede salvo dringt het tot ze door dat dit uren gaat duren, dat het schieten lang, heel lang, zal aanhouden, en ze begrijpen opeens waarom ze het kamp hier hebben opgeslagen, zo dicht bij een dorp, namelijk omdat ze het plat gaan bombarderen, ja, dat is het, en ze kunnen de slaap niet meer vatten, ze kunnen er niet aan wennen, het lichaam schrikt van elk salvo, hun oren zoemen er nu al van.

Ze kijken elkaar aan. Ze kruipen uit hun tenten om te kijken. Het is donker, en af en toe zien ze lichtflitsen, de grond bromt en trilt onder hun voeten: een trilling die in je botten en je oren gaat zitten.

'Er zitten daar fellaga's.'

Dat roept iemand, hij herhaalt het een paar keer: 'Er zitten daar fellaga's.'

De jongen naast Bernard zegt dat er wel fellaga's móéten zitten omdat ze anders nooit zo zouden schieten, er zitten daar fellaga's en hiermee kun je man-tegen-mangevechten vermijden, dat is beter, zegt hij steeds, en Bernard hoort de stem, de beverige stem die niet gelooft wat hij zelf zegt, en ziet de stralende ogen in het donker.

De volgende dag staan ze op met een pijnlijk lijf en stijve spieren. Het is nog heel vroeg in de ochtend.

Overal hangt de geur van kruitdamp, en er heerst een diepe stilte als ze in het grauwe ochtendlicht op weg gaan naar het dorp, waarvan je vanaf hier alleen nog maar de omtrek ziet die oplost in de zwarte rook – en daar is de geur, al van zo'n afstand, het ruikt naar as, ze durven nog niet tegen zichzelf te zeggen dat de geur wel iets weg heeft van verbrand vlees, dat is een geur die ze nog niet kennen.

De volgende dag is een dag van stilte en vermoeidheid in het kamp.

Rabut is er die dag, samen met de andere versterkingen. Hij zal die avond al vertrekken, samen met de anderen. Over een paar uur zal het op het kamp weer zoals altijd zijn. En daarna is het al bijna veertien juli, wat voor sommigen drie of vier dagen verlof in Oran betekent.

Maar tot die tijd blijven ze nog een paar uur hier, vreemde, langdurige uren waar geen eind aan komt. Ze moeten wachten tot alle eenheden terug zijn, zodat ze gezamenlijk kunnen vertrekken. Bernard doet alsof hij niets weet van wat Mireille in haar brieven heeft verteld, dat ze Rabut minstens twee of drie keer heeft gezien en dat ze twee keer 's middags met hem in een dancing heeft gedanst. Hij vraagt zich af wat Rabut hier doet, hij ziet het liefst dat hij direct weer ophoepelt, met zijn hele compagnie erbij. Dan zal het weer rustig zijn, saai haast, met de inertie van voorheen. Hij wil dommelen en rustig, kalmpjes, wachten tot het tijd is voor zijn verlof in Oran.

Hij heeft Mireille al geschreven om te vertellen dat hij vier dagen komt.

Het kamp loopt rap vol met alle eenheden. Er zijn hier nog nooit zo veel mensen bij elkaar geweest, en in de recreatieruimte al helemaal niet. Er zijn geen wapens gevonden. Er zijn geen fellaga's gevonden.

Toch voelt het alsof ze gevochten hebben, alsof ze aan de oorlog hebben geroken; maar bovenal voelen ze een grote vermoeidheid, ze verlangen ernaar hun kistjes uit te trekken, hun voeten die afschuwelijk veel pijn doen te verzorgen, een biertje te drinken en te slapen. Ze zullen gaan kaarten en aan andere dingen proberen te denken, en ze willen zo snel mogelijk horen dat het lichaam van de dokter ver weg is gebracht.

Ze willen dat dit allemaal voorbij is.

Bernard en Rabut blijven net als anders bij elkaar, ze zitten naast elkaar op de trap van de recreatieruimte. Ze hebben het nergens over. Bernard zegt niets. Ook niet dat hij urenlang woedend heeft herlezen wat Mireille over de dancing schreef, dat ze Rabut beschreef met het onverdraaglijke woord 'schatje'. Hij zwijgt erover en stelt zijn neef ook geen vragen: niet of hij nog verloofd is met Nicole, niet of hij bericht heeft van de familie.

Hij zou zelfs kunnen vragen hoe het met Mireille gaat. Maar dat doet hij niet, hij denkt dat het beter is om niet te laten merken dat hij daarmee bezig is.

's Middags lopen de twee neven een paar uur door het kamp, ze spreken met de monteurs over de motoren van de jeeps en de vrachtwagens die nagekeken moeten worden. Ze kijken ook naar de helikopter voor de ingang van het kamp.

Rabut verdwijnt een paar ogenblikken, en als hij terugkomt, heeft hij zijn fototoestel in de hand. Hij maakt niet veel foto's, want het filmpje is bijna vol. Maar hij maakt er wel een paar, in het kamp. Hij zegt dat hij ze naar Solange en de familie zal sturen.

'Ik weet zeker dat niemand thuis een foto van jou heeft.'

Bernard geeft geen antwoord, hij denkt aan de lichamen in het dorp dat de hele nacht door gebombardeerd is – vrouwen en kinderen, honden, een ezel, een paar geiten. Hij hoort de stem van de kapitein die door de ochtend brulde dat ze naar wapens en fellaga's moesten zoeken, en hoe iedereen zijn best deed en stenen, as en stof verplaatste. Ze vonden niets anders dan de dood – en het domme gezicht van de kapitein, die spuwde en er niets van begreep en als een bezetene schreeuwde dat ze die verdomde fellaga's moesten vinden.

Als ze Fatiha tegenkomen, zit ze in de schaduw van een boom haar olijvenspelletje te spelen, maar zodra ze Bernard ziet houdt ze ermee op. Ze rent naar hem toe en vraagt of ze de schildpad mag zien. Bernard zegt ja. Ze haalt snel haar step op, die tegen de muur van het huis staat. Rabut vraagt haar om even te blijven staan. Ze staat tegenover hem met op de achtergrond het huis met de afgebladderde gevel.

Hij maakt een foto.

Als ze weer bij hen terugkomt, houdt Rabut zich een beetje op de achtergrond, hij kijkt naar zijn neef en het meisje, het lijkt alsof ze met z'n tweeën zijn, ze zeggen niets, het is doodstil, je hoort alleen wat stemmen van mannen verderop en misschien de motor van een voertuig. Maar verder niets. Rabuts schaduw valt op het zand als een kruipend dier en als Bernard in de lens kijkt, staat hij lichtelijk over het meisje heen gebogen, hij helpt haar door haar met één hand vast te houden, zij concentreert zich volledig op het rijden, ze is een en al concentratie, haast ernstig.

Rabut vraagt zich af of ze zwarte kleren draagt vanwege de dood van de dokter; hij weet niet dat niemand haar ooit iets kleurigs heeft zien dragen. Achter hen staat een gebouwtje van betonblokken met een heel laag dak, en daar weer achter zijn de heuvels en de bijna okergele middaghemel.

Hij drukt af.

Korte tijd later verzamelen de eenheden zich onder de vlag op de binnenplaats. Ze gaan naar de voertuigen, die met draaiende motor staan te wachten, en een paar minuten later is het kamp weer net als anders. Behalve dan dat er bandensporen te zien zijn en dat het lijkt of het door de vrachtwagens en jeeps opgewaaide stof niet neerdaalt, en dat ze allemaal denken aan de dokter, of beter gezegd, dat ze allemaal bedenken dat zijn stoffelijk overschot is weggehaald – wat een afschuwelijk woord voor een lichaam, je hebt het wel over een mens, als je het zo zegt lijkt het alsof je het over het overschot van een konijn of een ander dier hebt dat je hebt gevild om het op te eten – en ze zitten met de last van zijn afwezigheid, met het feit dat het weer avond wordt en dat het stof zo langzaam neerdwarrelt dat het lijkt of het blijft rondzweven, en daarna niets meer, geen enkel geluid, alleen de mannen uit het kamp en de gewoontes die ze weer moeten opnemen, ook al weet iedereen dat er geen gewoontes meer zijn.

Want ze weten allemaal dat er iets veranderd is. Wat, dat weten ze niet. Er zal niets veranderen. En toch is alles veranderd. Ze weten dat ze morgen weer de stem van de korporaal met dezelfde riedel zullen horen: 'Iemand voor de eetzaal!'

Transistorradio's knetteren de eerste nieuwsberichten uit, stemmen bulderen dat de radio uit moet, zachter moet, en met de ogen nog halfdicht van de slaap gaan ze allemaal pissen, buiten, tegen het muurtje verderop.

En toch beseft Bernard net als de anderen, maar zonder dat ze erover praten, dat niets meer precies zo is als vóór de geschiedenis met de dokter, hij weet dat de sfeer in het kamp binnenkort zal verslechteren, gespannen zal worden, dat de anderen bij het naar bed gaan niet meer zullen lachen als alleen het kleine, gele lampje boven hun hoofden in het midden van de zaal nog brandt, en dat ze ook niet meer zullen lachen als Février brult: 'Afzwaaien, verdomme!'

Want ieder van hen zal in de stem van hun kameraad een trilling menen te horen die er eerst niet in zat.

En de waarheid is dat de mannen de slaap niet kunnen vatten, of dat die pas heel laat in de nacht komt.

En als ze horen hoe sommigen van hen liggen te woelen en draaien in hun bed, maken ze geen schunnige grappen meer en beginnen ze niet meer over de vrouwtjes; je hoort alleen de stilte en soms een woedende of geërgerde stem die tekeergaat dat ze niet zo veel moeten bewegen, dat ze op moeten houden met dat gelazer,

'Hou es op met dat gelazer!'

En dan verstarren de lichamen in de duisternis, ieder in zijn eigen bed, en ze weten dat bij velen van hen de ademhaling haast stilvalt en het hart bijna breekt, het is bijna hoorbaar dat iedereen iets waardoor hij verstikt wordt zou willen uitschreeuwen.

Natuurlijk zijn ze in deze omstandigheden meer dan ooit in de greep van nostalgie en heimwee. En de dagen worden zwaar, ook al is het niet zo drukkend warm, ook al hoeven ze alleen maar wat schietoefeningen te doen. Want ook voor de leiding is er iets veranderd. Ze hebben moeite de mannen bezig te houden, hen ervan te overtuigen dat het allemaal belangrijk en nuttig is, ze weten dat de mannen gedemotiveerd zijn; de gesprekken zijn niet meer zo luchtig en vrolijk, de dagen kruipen voorbij en de mannen lijken 's middags beter te kunnen slapen dan 's nachts. Ze ruimen onafgebroken de slaapzaal op. Ze schrijven misschien nog vaker dan anders naar huis. Uiteindelijk zit iedereen te kaarten zonder op het spel te letten. Ze hebben het alleen nog over terug naar huis gaan. Ze weten dat sommigen binnenkort weg mogen, anderen moeten genoegen nemen met een paar dagen Oran, en weer anderen moeten helemaal wachten.

Iedereen zit stiekem te bidden dat hij daar niet tussen zit.

De geluksvogels die een volle week krijgen en naar Frankrijk gaan, weten dat ze bij terugkeer een verhaal moeten hebben dat voldoet aan de hooggespannen verwachtingen van de achterblijvers. Ze weten nog niet dat ze een lange, moeizame tocht zullen gaan beschrijven, vol naargeestige kazernes, uren wachten op niks, verloren tijd, verspilde vrijheid, een doorgangscentrum, een nacht in het doorgangskamp aan de haven, de nachtelijke overtocht liggend op de planken bodem zonder iets te zien van het staalgrijze water, in een droomloze slaap.

Ze zullen vertellen en de rest zal in diepe stilte luisteren. Ze zullen het over omhelzingen hebben en daar blijft het wel zo'n beetje bij. Iets anders vertellen ze niet. De rest houden ze voor zichzelf. Vrienden, familie, verkering. En soms ook geen verkering meer, maar nieuws over haar via anderen, ja, ze is nu met die en die. En net doen alsof je dat niet erg vindt, en vooral niet proberen haar te vinden om verhaal te halen, om haar je teleurstelling en je gevoel van onrecht en verlatenheid in het gezicht te smijten.

Blijven zwijgen, niets vertellen over het incident met de dokter, de dorpen. Misschien alleen iets zeggen over de verveling en de sleur. Maar beter nog: zwijgen, doen alsof je neus bloedt.

Een paar dagen later in Oran drukt iemand die ze niet kennen op de sluiter – en op de plaatjes staat een hele groep kameraden, de langsten voor de rest neergehurkt, de meesten met een zonnebril op en allemaal breed grijnzend.

En dan is er nog een foto die Rabut zal terugvinden tussen alle andere, zonder dat hij weet hoe die daar verzeild is geraakt. Een foto die hij later bij Bernard zal terugzien en waarvan hij niet weet wie hem gemaakt heeft. Van Bernard en Idir, allebei lachend, met samengeknepen ogen, je ziet hun tanden en de vooruitstekende jukbeenderen, het lijkt of ze grimassen omdat ze door de zon verblind worden. Bernard heeft zijn arm om Idirs schouder geslagen en achter hen zie je het monument voor de gevallenen, zo wit als meerschuim, met kleine Franse vlaggetjes die rondwaaien als een zwerm insecten, vlinders of bijen of zo, tegen de blauwe lucht, het is juli, de nationale feestdag goed ingekaderd en bewaakt door militairen. Met een defilé en Franse vlaggen die de balkons opfleuren.

Het is feest, maar bovenal machtsvertoon.

Voor hen zal het iets anders zijn, zij zijn op verlof.

En dus zullen ze alleen maar aan de zon denken, ze zullen willen gaan stappen, lol maken, dingen doen die bij hun leeftijd horen, zich net zo jong voelen als ze zijn, wat je in de kazerne of het kamp snel vergeet. En ze zullen dingen zien, geuren ruiken, denken aan dingen die even diep in hun geheugen gegrift staan als de messen van de fellaga's in het vlees van hun minder fortuinlijke kameraden.

Die ons ons hele leven zullen bijblijven en net zo belangrijk zijn als dat andere, maar waarvan we het belang toch niet zullen inzien omdat je nou eenmaal niet dagelijks denkt aan de dingen die de muren van je leven verfraaien: kinderen met in schelle kleuren beschilderde puntzakjes vol kikkererwten of gezouten pompoenpitten, de geur van sardines en merguez, tot je er misselijk van wordt, tot het een nachtmerrie wordt. Maar voorlopig is het vooral de zeewind en het licht in Oran, de vrouwen met hoofddoeken om hun met henna geverfde haren, de portrettenwinkeltjes, de trottoirs, het bolle, afgesleten wegdek, de auto's, 203's en Arondes, de zon natuurlijk, de radioruis van de sjirpende krekels op de achtergrond, de trolleybus, Philibert, Gisèle, Jacqueline, de hand van Mireille als hij voor het eerst haar handpalm en vingers aanraakt, 's middags in cinema Mogador, eerst aarzelend, zonder dat hij een blik op haar durft te werpen, maar zij draait zich dan meteen helemaal naar hem toe en kijkt hem glimlachend en gelukkig aan, niet blozend en verlegen zoals hij, maar juist frank en vrij, alsof dat gebaar tussen hen er al vanaf het begin zat aan te komen.

Net als de anderen heeft hij een kamer genomen in een hotelletje bij het station. Een ijzeren opklapbed dat bij elke beweging kraakt, een wastafel met alleen koud water, een spiegel die van boven tot onder gebarsten is en zijn gezicht in tweeën splijt als de sinaasappel die hij 's morgens op bed doorbreekt en opeet.

Voor het eerst in lange tijd heeft hij een eigen slaapkamer (eigenlijk voor het eerst in zijn leven); het geeft niet dat er afgrijselijke bloemen op het behang staan, dat er pissebedden in de wasbak zitten en dat het behang loslaat door het vocht dat bruine kringen onder het raam en de wastafel maakt. Het geeft niet dat de buren een deel van de nacht aan het ruziën zijn. Hij is alleen op zijn kamer, en dat is wat voor hem telt, met een raam waar hij uit kan hangen om de stad en de witgroene trolleybussen te bekijken.

En 's morgens wandelt hij rond, kijkt naar de gevel van Grand Café Riche, de boulevard Charlemagne en de kleine rue de l'Hôtel-de-ville. Hij stelt zich voor dat hij hier woont en dat het ovaalvormige gebouw en het Café Brésil hem niet eens meer opvallen omdat hij er volledig aan gewend is. Hij zegt tegen zichzelf dat hij hier rust zou hebben, dat hij hier zou kunnen wonen en gelukkig zijn. De stad bevalt hem.

Als hij weer in het kamp is, zal hij Solange schrijven en haar van alles vertellen waar je geen weet van hebt als je op het platteland woont, bijvoorbeeld dat je hier overal jonge Noord-Afrikanen uit steegjes ziet komen die kranten verkopen, *L'Écho d'Oran*, die ze onder hun arm dragen.

Hij heeft ook tijd om na te denken, niet alleen over de gebeurtenissen van de laatste tijd, het lichaam van de dokter, Châtel die steeds norser wordt en met niemand meer praat. Hij denkt aan de Algerijnen; hij bedenkt dat hij sinds hij hier is alleen de kleine Fatiha heeft leren kennen, zelfs haar ouders niet, dat de bevolking voor hem en de anderen een raadsel is dat elke week groter wordt, en hij bedenkt dat hij bang is, ook al weet hij niet waarom of waarvoor.

Hij weet niks, en als hij 's morgens in alle vroegte op zijn eentje door Oran loopt, schaamt hij zich daarover.

Hoe meer tijd er verstrijkt, hoe meer hij, zonder precies te weten waarom, van zichzelf begint te denken dat hij, als hij Algerijn was, ook een fellaga zou zijn. Hij weet niet waarom die gedachte bij hem opkomt en hij wil haar zo snel mogelijk verjagen als hij aan het lichaam van de dokter in het stof denkt. Wat voor iemand doet zoiets? Geen weldenkend mens zou dat ooit doen. En toch. De mens. Soms denkt hij dat hij zelf ook een fellaga zou zijn. Omdat de boeren hun grond niet mogen bewerken. Vanwege de armoede. Ook al zeggen sommige mensen dat ze hier juist zitten om die mensen te helpen. Dat ze vrede en beschaving brengen. Ja. Maar hij denkt aan zijn moeder en aan de koeien op het land, hij denkt aan de dikke, zware wolken die hun schaduw op de ruggen van de beesten werpen, op de beek en de populieren. Hij denkt aan hoe zijn vader en moeder hun handen voor de monden van de kleine kinderen hielden, zoals hem vaak verteld was, van hem en van zijn broertjes en zusjes toen het hele dorp wegvluchtte uit de boerderijen en zich verstopte in granaatkraters van waaruit je van vlakbij de voetstappen van de Duitsers kon horen. Hij denkt aan wat ze hem verteld hebben over de bezettingstijd, hij kan er niks aan doen, hij moet steeds denken dat ze hier zijn zoals de Duitsers toen bij hen zaten, en dat we net zo erg zijn als zij.

Hij bedenkt ook dat hij misschien een harki geworden zou zijn, zoals Idir, want in Frankrijk is het leven goed, vindt hij, en dit is ook Frankrijk, al heel lang. En dat het leger een beroep is als elk ander, daarin had Idir gelijk, harki zijn betekent dat je je gezin kunt onderhouden zodat het niet omkomt van de honger.

Maar hij bedenkt ook dat dat misschien allemaal niet klopt. Dat je niemand moet geloven. Dat iedereen liegt. Hij denkt dat er zijn hele leven al tegen hem gelogen wordt. Er is altijd iets wat niet klopt. Altijd. Zo erg dat hij er misselijk van wordt en alles wat wereld is wil uitkotsen. Hij moet er bijna om huilen. Hij weet niet waarom. Waarom zit hij zo in de put, waarom is hij zo neerslachtig? Terwijl hij juist vandaag. Vier dagen. Met niets dan Mireille aan de horizon.

De lucht is mooi, de stad ook, ja, dat zeker, de stad is indrukwekkend, en dan het gevoel dat er buiten de stad niet geleefd wordt. Hij wordt er zo door betoverd dat de woorden van meneer pastoor op hem overkomen als de zoveelste leugen, wat hij destijds niet besefte, maar wat hem nu opeens duidelijk wordt: nee, de stad is niet de hel, niet verleiding, gemakzucht, integendeel, en plotseling vindt hij de pastoor lelijk en zuur, en voor het eerst slaat Bernard zijn misboek dagenlang niet open.

Hij vraagt zich af of Châtels manier om met God om te gaan misschien beter is dan de zijne. En daarna vraagt hij zich niets meer af.

Idir nodigt hem uit om thee te komen drinken bij zijn ouders. Bernard is eerst een beetje verrast, maar zegt toch ja. Hij voelt zich niet echt bevriend met Idir, maar wel meer dan met Abdelmalik, maar dat is niet moeilijk want, echt, Abdelmalik die zegt nooit wat, niet alleen niet tegen hem maar tegen niemand. Dan ben je al snel meer bevriend met Idir.

Als Bernard verwelkomd wordt en thee aangeboden krijgt, is hij erg onder de indruk. En niet alleen omdat hij bij een Noord-Afrikaanse familie is en niets van hun gebruiken en gebaren kent, maar ook omdat ze hem met zo veel egards omringen, alsof hij een belangrijk persoon is, ja, zo voelt het, en dat maakt hem verlegen omdat het te veel is, al die aandacht, al die vriendelijkheid, dat ceremonieel rond de thee die de moeder inschenkt – en de grootvader die per se zijn oud-strijdersmedailles wil laten zien en de aandacht vestigt op de arm die hij in Verdun is kwijtgeraakt, door terwijl hij erover praat op de lege, omgevouwen, ter hoogte van de elleboog dichtgespelde mouw van zijn jasje te kloppen alsof het een trofee is. En zijn ongemakkelijke gevoel wordt steeds groter, het verstikt Bernard in zijn gedrag tegenover Idir en zijn familie: het wordt haast een vaag gevoel van schaamte.

Hij vraagt zich af waarom hij zich schaamt, over wie, over wat, en hij denkt weer aan Abdelmalik, wat die gezegd had, en wat Idir herhaald had: 'We kunnen doen wat we willen, Fransen worden we nooit.'

En hij zegt tegen zichzelf dat hij nu geconfronteerd wordt met allerlei dingen die een boer zoals hij toch nooit zal begrijpen, die hij altijd verkeerd zal interpreteren omdat je ervoor gestudeerd moet hebben, omdat je er papieren voor moet hebben, veel meer moet weten over de dingen en de mensen.

Daarom struikelt hij bij het afscheid over zijn woorden als hij Idirs familie bedankt voor hun gastvrijheid, hij stottert zonder te weten waarom, hij beseft vaag dat hij aan niemand zal vertellen dat hij hier geweest is.

En die gedachte stoort hem. Hij vraagt zich af waarom hij zich erover schaamt dat hij hier geweest is en toch voelt hij zich er ongemakkelijk bij, alsof hij zijn eigen mensen verraden heeft, terwijl dat helemaal niet zo is, nee, de harki's staan aan onze kant, Idir is een van de onzen, misschien dat hij zich vooral zo geneert omdat je merkt dat ze zich vereerd voelen door zijn bezoek, hij die zich vroeger in het dorp met de anderen zo vaak vrolijk maakte over die soepjurken en die roetmoppen, zonder er ooit één te zijn tegengekomen buiten de verhalen van de oude mannen over Senegalese infanteristen – bomen van kerels die altijd vooraan moesten staan om de moffen angst aan te jagen.

Maar al die gedachten en vragen verdwijnen als sneeuw voor de zon als hij Mireilles vriendengroepje treft. Ze laten hem de stad zien, geven uitleg over de oude prefectuur op de Place Kléber – de nieuwe, nee, die krijgt hij niet te zien, die is te lelijk. Wel de leeuwen die de ingang van het stadhuis bewaken. En daarna de wijk Choupot, waar ze eigenlijk de rest van de tijd doorbrengen, met vijgenbomen zo groen als de bankjes bij de haltes van de trolleybus; en als ze teruglopen wijst Mireille hem rechts de Météore: 'Dat komt nog wel, daar gaan we altijd dansen, je zult zien, het is er fantastisch', zegt ze.

Dan komen ze bij een platenzaak. Als Mireille op een van de hoezen in de etalage wijst kijkt Bernard er niet naar, hij doet eerst of hij niets hoort. Hij vraagt zich af of hij de enige van zijn leeftijd is die thuis nooit platen heeft gehad. Natuurlijk niet, hij weet zeker dat hij niet de enige is. Mireille is juist de uitzondering. Hij vraagt zich af wat ze in hem ziet, hij weet immers van toeten noch blazen. Hij wil best bijleren, maar dan zou hij eerst moeten toegeven dat hij niets weet, en dat wil hij nou ook weer niet.

Als ze opnieuw op een plaat wijst, geeft hij weer geen antwoord, maar buigt hij zich wel wat naar voren en zegt dat muziek en hij nou eenmaal. Maar Mireille antwoordt dat zij voor twee van muziek houdt, dat ze ook een beetje piano speelt, maar Chopin, die vind ik saai, maar ik moet van mijn vader. Ze speelt liever moderne dingen, waar je op kunt dansen.

En terwijl ze over dansen praten gaan ze naar Miralles, tegenover de bakkerij, om aan de bar kleine bordjes *kemia* te eten en te luisteren naar de jukebox, die op vol volume staat.

Mireille zet haar grote, groene zonnebril af en legt hem naast zich neer als een gezelschapsdiertje. De muziek overstemt de gesprekken – Philibert nodigt Bernard uit om een keer te gaan onderwatervissen. Hij vertelt dat hij een strandhuisje heeft, verderop bij de zee tussen Kaap Falcon en Saint-Roch, als je de berg over bent sta je bij dat strand, de strandhuisjes hangen tegen de rotsen aan, en Philibert vertelt dat hij daar als hij niet hoeft te werken altijd een fantastische tijd met zijn vrienden Lopez en Segura heeft, hij wijst met zijn ogen op Mireille en zegt tegen Bernard: 'Het is ook super om er meisjes mee naartoe te nemen.'

Later, 's middags, moet Mireille naar huis. Ze krijgen visite en haar ouders hebben gezegd dat ze op tijd thuis moet zijn. Gisèle en Jacqueline moeten eigenlijk bij Mireille blijven, maar ze vinden het goed om niet mee te gaan, zodat Bernard haar alleen naar huis kan brengen. Hij ziet niets van de stad, hij vindt straks vast de weg niet meer, en inderdaad verdwaalt hij op de terugweg; als hij Philibert niet toevallig zou zijn tegengekomen, had hij de weg naar het hotel misschien wel nooit meer gevonden.

Dat komt omdat hij Mireilles stem steeds in zijn hoofd hoort, met alle beloftes die je elkaar op zo'n moment zachtjes influistert, doodkalm alsof het alleen maar over het weer gaat, alsof je een beetje aan het kirren bent om bij elkaar in de smaak te vallen, elkaar te versieren. Ach nee, dat is al voorbij, ze zijn al een stap verder. Mireille en hij hebben het erover gehad om in Parijs te gaan wonen en ze hebben het in bedekte termen zelfs al over trouwen gehad. Want al hebben ze dat woord niet gebruikt, ze hebben het over de toekomst gehad, ze zeiden: na de diensttijd. Ze zeiden: wat wé gaan doen na de diensttijd, niet wat hij, Bernard, dan gaat doen. Maar dat 'we' hebben ze achteloos uitgesproken, ze deden allebei alsof ze het niet merkten, alsof ze al getrouwd waren. En aan hun ouders denken ze niet. Voor hem is dat makkelijk, hij zegt dat hij niet meer naar huis wil. Hij zegt: 'Ik zou graag een garage willen beginnen.'

Hij laat het zomaar vallen. Alsof hij nu alles durft, alsof niets meer onmogelijk is met Mireille naast zich. Hij gaat zijn ouderlijk huis verlaten. Zijn leven zal veranderen, dat staat vast, nu weet hij het zeker, er is een wonder gebeurd en dat wonder, dat is zij, zij is naar hem toe gekomen en hij vroeg zich verbaasd af wat ze in hem zag, wat zo eh, zo bijzonder aan hem is, hij snapt het niet, hij begrijpt het niet, maar goed, oké dan, hartstikke oké.

Hij weet dat hij soms ongerust wordt van die vraag, een ongerustheid die tot angst leidt. Hij is bang dat het wonder net zo plotseling weer ophoudt als het begonnen is, en dat hij zoals zo veel van zijn vrienden een briefje zal krijgen met maar een paar woorden: *Het is uit*.

Hij slaapt die nacht slecht, en de volgende ochtend voelt hij zich een beetje misselijk. Février klopt op zijn deur, ze zouden de dag samen doorbrengen en die avond moeten ze alweer terug. Ze moeten om half zes vanavond in de kazerne zijn, zodat ze aan het einde van de avond weer in het kamp zijn. Ze zouden liever pas de volgende ochtend gaan, maar dat kan niet. Hoe dan ook, ze weten dat ze zich in de kazerne moeten melden (en allemaal moeten ze zich daar van binnen toe zetten, het gaat tegen hun gevoel in, waar ze nu ook zijn, in de stad of verderop op het strand, iedereen is in zijn hoofd al onderweg, iedereen stelt zich al voor hoe hij in de kazerne wat geintjes met zijn maten maakt om zich direct daarna gedachteloos klaar te maken, zich bij de rest te voegen, het konvooi voor te bereiden, op weg te gaan en weer midden in de sleur te belanden).

De gedachte dat hij terug moet naar het kamp is verschrikkelijk; Février en Bernard worden overmand door een vermoeidheid die ze niet eens hoeven uit te spreken, zo duidelijk zien ze die bij elkaar weerspiegeld.

En dus praten ze alleen over de afgelopen drie dagen.

Vertellen ze wat ze gedaan hebben. Wat het betekent om voor het eerst zonder je maten te zijn, een beetje alleen, ja, in het begin voelt het zelfs even als eenzaamheid, als leegte, is het lang niet zo leuk als je verwachtte. Alles gewoon laten gebeuren, naar de film gaan en perroquets, bier of anisette drinken en de etalages bekijken. De tijd doorbrengen door op terrasjes naar de mensen op straat te kijken. En daarna rondhangen met maten die je toevallig tegenkomt, de hele middag en avond en de volgende dag ook nog en eigenlijk bijna voortdurend.

Een deel van de middag brengen ze door in de Météore – een bar bij de ingang, een dancing opzij. Hun adem ruikt een beetje naar anisette en couscous; de vrouwen zijn gehuld in de bloemige, zware geuren van lippenstift en gezichtscrème.

Février en Bernard zijn zowel opgewonden als gespannen, ze kijken naar de meisjes die dansen met andere militairen of met mannen in burger, allemaal keurig in het pak en met nette haren.

Ze zitten een tijdje in stilte te luisteren naar de muziek, en ongewild krijgen ze haast zin om te dansen. Vooral Février. Hij kan zich niet meer inhouden – waarom zou hij ook, ze zijn hier toch voor hun plezier, om lol te hebben, ze hebben nog net een paar uur; en hij vindt al heel snel meisjes die niets liever willen dan gevraagd worden. Ze zitten te wachten en speuren de zaal af naar een danspartner. Sommigen zitten alleen, en de gedachte dat er niemand bij hen is windt Février een beetje op: het duurt dan ook niet lang of hij werpt zich in de strijd.

Bernard verwondert zich erover dat Mireille er niet is, of Gisèle, Jacqueline, Philibert en zijn vrienden Lopez en Segura.

Ze hebben hier afgesproken. En plotseling wordt hij ongerust. Stel dat er niemand komt? Dat hij terug moet naar de kazerne zonder Mireille te hebben teruggezien? Die gedachte is onverdraaglijk. Eerst staat hij wat te hangen. Hij aarzelt of hij terug naar de bar zal gaan, ja, waarom ook niet, misschien ... van daar kan hij zien wie er binnenkomt, dat is beter dan hier maar wat staan toekijken hoeveel lol iedereen heeft. Hij steekt een sigaret op en zoekt voor het laatst in de mensenmassa of hij, buiten Février, geen vrienden ziet.

Geen vrienden. Maar wel al gauw een bekende. Want als hij naar de bar loopt ziet hij Rabut bij de ingang, tussen allerlei andere soldaten, die even staat te aarzelen, dan binnenkomt en zwaait als hij hem ziet.

'Ik had je niet herkend', zegt hij tegen Bernard.

En dat is het wel. Ze zeggen niet veel. Ze blijven naast elkaar staan en spreken af om samen naar de kazerne te gaan, tja, hoe laat, om vijf uur, ze moeten er om half zes zijn. Ze spreken niet uit dat ze ook allebei apart kunnen gaan. Ze zijn niet gek op elkaar, maar toch klitten ze altijd meteen samen als ze elkaar tegenkomen, zo is het altijd al gegaan, en hier is dat nog sterker: iets van thuis wat de mensen verbindt zonder dat ze precies weten waarom, een gewoonte die zo oud is dat ze hem niet eens meer ter discussie stellen.

Rabut bestelt een biertje. Hij vraagt aan Bernard of hij er ook een wil, maar die schudt van nee. Hij kijkt naar de deur, naar de mensen die binnenkomen, nog steeds geen enkel bekend gezicht, niemand op wie hij wacht.

Teleurstelling bekruipt hem.

De twee neven aarzelen of ze naar de dancing zullen gaan. Rabut werpt er een blik op, Bernard zegt niets als hij die blik ziet, maar hij bedenkt dat Rabut misschien ook op Mireille wacht.

Welnee.

Hij houdt zichzelf voor dat hij spoken ziet, dat het feit dat Rabut en Mireille weleens samen hebben gedanst heus niet betekent dat. Dan probeert hij zichzelf gerust te stellen door zich voor te houden dat vertrouwen belangrijk is in de liefde, dat vertrouwen alles is, dat hij vertrouwen moet hebben in Mireille, dat zou Solange ook zeggen en Solange geeft altijd goede raad.

Vertrouwen, dat is het.

Al heeft hij uiteraard geen greintje vertrouwen in Rabut.

Uiteindelijk gaan ze de dancing binnen, zonder iets te zeggen, alleen met een bevestigende hoofdknik; dat is beter dan aan de bar te blijven hangen. Bernard kijkt nog een laatste keer naar de ingang van de bar, waar helaas niemand te zien is – het idee dat er niemand meer komt, hij kijkt op zijn horloge, komt er dan echt niemand meer? Hij vraagt zich af of hij genoeg tijd heeft om naar Mireilles huis te gaan, zo ver lopen is het niet, hij vermoedt dat hij het wel kan vinden, ook al weet hij het niet zeker. Hij stelt zich voor hoe hij zou aanbellen en op de deur zou bonzen. Hij stelt zich het gezicht van de huishoudster voor, die opendoet en hem binnenlaat; maar misschien wordt er wel helemaal niet opengedaan of zal hij vanuit de deuropening verbaasd een heel gezelschap in de eetkamer of salon zien zitten, aan tafel of in fauteuils, ooms, tantes, alle heren keurig gekleed in mooie, donkere pakken en de dames in avondjurken van onbekende snit en kleur, en hij onder hun halfgeamuseerde, halfminachtende blikken, met zijn pet in de hand en een lompe glimlach op zijn lompe gezicht, met zijn figuur en zijn gekreukelde broek; hij bedenkt dat hij zich als echte jan soldaat alleen maar belachelijk zou maken.

Daarom gaat hij er maar niet heen. Ze hebben hier afgesproken. Hij blijft waar hij is. Stel dat ze net komt als hij naar haar huis toe is, dat zou echt te stom voor woorden zijn. Dat hij bij haar aankomt en ze tegen hem zeggen dat hij haar onderweg gekruist moet hebben, ze is een half uur geleden vertrokken met haar vriendin Gisèle.

Blijven. Wachten.

Ze zwijgen en kijken alleen naar Février, die aan het dansen is en voortdurend van partner wisselt, hij beproeft zijn geluk, fluistert zoete woordjes in oren versierd met oorbellen die sprankelen in de lichten van de dancing.

Dan loopt Bernard weer naar de bar en gaat aan de toog staan. Hij bestelt een biertje en draait zich om als er mensen binnenkomen of als hij vrouwen hoort lachen. Hij blijft even alleen, ziet een paar jongens van zijn onderdeel binnenkomen en bijna direct tot straks zeggen en weer weggaan. Hij mompelt een antwoord en merkt opeens dat hij de bubbels in zijn bier aan het tellen is die omhoogkomen en weer wegzakken, net als de stemmen achter hem. Hij wil weer roken, er zitten nog een paar sigaretten in het bijna lege pakje in zijn zak, lucifers, zijn handen trillen een beetje, en plotseling richt hij zich op: gaat hij hier zo blijven wachten? Kun je zomaar blijven wachten, denken dat je maar het best op je eentje bij de bar kunt blijven staan als je dat al meer dan zeventig minuten, bijna een uur en een kwartier aan het doen bent?

Rabut en Février komen erbij staan, ze maken grappen, lachen, praten luid. Bernard vindt hun gelach opeens irritant, maar toch schuift hij wat op om plaats voor ze te maken aan de bar.

Ze bestellen nog twee bier.

Al gauw is het sigarettenpakje helemaal leeg. Bernard verkreukelt het langzaam en ernstig, heel langzaam, heel bewust van zijn beweging, totdat het een strak opgerolde bal is, heel compact, misschien wel net zo compact als de bal van woede en drift die hij in zich op voelt komen – iets van de razernij waarvan hij vandaag ver weg wilde blijven, een zwarte knoop die zich vormt terwijl hij zich afvraagt wat er aan de hand kan zijn, of hij zich niet vergist heeft in de afspraak, of hij de plaats en tijd wel goed onthouden heeft, of er soms iets gebeurd is met Mireille of Gisèle of een ander, en zo ja, waarom dan niemand hem komt waarschuwen, komt zeggen dat het geen zin heeft om nog langer te wachten en te hopen dat hij Mireille vandaag nog ziet.

Maar nee, niets. Er komt niemand. De muziek is onverdraaglijk. Het parfum van de meisjes, de bierwalmen. De mannen in pak, op hun zondags, lelijk, zoals alles opeens lelijk en opzichtig is, met overdreven felle kleuren, schreeuwerige muziek; en de lucht is plotseling ook grijs en vol rook zodat zijn gedachten somber en donker worden, hij voelt zijn ergernis, hij wordt draaierig van de sterke parfumwalmen.

Hij doet zijn ogen dicht en neemt nog een slok van zijn bier; hij zegt tegen zichzelf dat hij te veel gedronken heeft. Hij die nooit drinkt, of bijna nooit, voelt dat alles om hem heen begint te tollen. Terwijl hij nog niet eens zo veel opheeft. Maar het komt ook door de zon, de hitte waar hij nog steeds niet goed tegen kan. De irritatie. De spanning. De vermoeidheid na de slechte nacht. De plotseling hevige angst dat Mireille nooit meer komt. Dat het uit is. Dat ze hem niet meer wil zien. Dat ze eindelijk heeft ingezien dat hij maar een boer is, een domme boerenzoon, dat ze dat besefte bij de grammofoonplaten in de etalage en dat ze nu dus weet dat hij een pummel is en met de anderen in een andere bar om hem lacht, misschien wel met andere mannen danst, en zijn naam alweer de titel is van de hit die iedereen de vorige zomer neuriede,

'Ciao, bello.'

Ach welnee, onzin, dat is het heus niet. Hij verwijt zichzelf dat hij alles altijd op die manier ziet, dat hij zich altijd omlaaghaalt en afbreekt, dat het altijd slecht met hem moet aflopen, alsof hij een mislukkeling is, een ramp, minder dan niets: dit keer wil hij dat niet. Eigenlijk wil hij dat trouwens nooit.

Maar hij zal het ook niet laten gebeuren.

Hij kijkt op zijn horloge. Het is nog geen tijd om te vertrekken. Maar de tijd verstrijkt, de klok tikt door, zo snel dat hij weldra moet besluiten dat hij hier niet langer blijft wachten en zoals nu zijn nek verdraaien zodra hij nieuwe mensen hoort praten en lachen – Mireilles lach zou hij uit duizenden herkennen, op elk moment, en daarom is de gedachte dat hij moet vertrekken voordat hij die gehoord heeft, voordat hij haar gezien heeft, plotseling bijna angstaanjagend, alsof hij de grond onder zijn voeten verliest. Hij kan zichzelf niet tot rede brengen. Hij weet niet waarom hij er zo benauwd, zo ongerust van wordt.

En dan zegt hij gedachteloos ja, zonder te weten waar het eigenlijk over gaat.

Ze vragen of hij nog iets wil drinken en hij zegt ja zonder erbij na te denken of het te horen, hoewel hij last van zijn maag heeft en misselijk is van de rook en de geuren. En zijn twee makkers lachen maar, ze vertellen moppen, hun stemmen klinken hard en hun lach vet, hij hoort het, pakt zijn glas en werpt nog een laatste blik op de ingang. Hij zegt dat hij naar buiten gaat. Hier niet wil blijven. Hij kan het stompzinnige gelach en de uitgekauwde grappen van Rabut en Février niet verdragen, temeer omdat hij ze alleen maar ziet als een poging om hem uit de tent te lokken, ze hebben het op hem gemunt, dat is het, ze proberen hem uit te dagen, nu al minstens tien minuten lang, ze zitten stiekem ruzie uit te lokken, ze fokken hem op, nemen hem in de maling – hij meent trouwens dat hij een gebaar heeft gezien, ja, echt, hij zag dat Février en Rabut elkaar aanstootten.

Hij wil zich niet boos maken.

Hij strijkt met zijn vingers over zijn lippen. Ze zijn droog. Zijn tong plakt tegen zijn verhemelte. Daarom drinkt hij zijn glas in twee grote slokken leeg, en als hij het met een korte, bruuske beweging die krachtiger is dan hij verwachtte terugzet op de toog, staat hij zelf versteld van de klap. Hij kijkt naar Rabut en Février: zijn stem is bijtend en onaangenaam, hij kijkt Février niet aan, alleen Rabut, hij snauwt: 'Wat is er nou, wat wil je van me, wat moet je, studiebol?'

En een paar mannen kunnen een paar uur later melden dat ze Bernard en Février met Rabut in een dancing hebben gezien. Kunnen melden: 'We hebben ze gezien en gegroet, "tot straks" zeiden we.'

Het nieuws verspreidt zich razendsnel door de kazerne: soldaten, dienstplichtigen, er zijn een stel dienstplichtigen verdwenen.

En het gaat er niet precies om wat ze denken, wat de militairen denken, maar wat ze vrezen op het moment dat ze contact opnemen met het kamp – moord, ontvoering, alles is mogelijk, dat weten ze, ze zijn op hun hoede, ze doen alsof ze er niet aan denken maar ze zijn er altijd bang voor, altijd en overal, en dus proberen ze zichzelf en elkaar gerust te stellen met de woorden: 'We weten het niet, misschien zijn ze gewoon hun roes aan het uitslapen, dat kan best, ze zouden de eersten niet zijn.'

De twee jeeps en de half-track staan te wachten in de zon op de binnenplaats, duidelijk in het zicht. Vanuit het kamp wil de korporaal een van zijn mannen spreken, en het wordt Nivelle. Hij geeft hem het bevel op zoek te gaan naar Février en Bernard en niet zonder hen te vertrekken.

'Idir kent de stad, samen moeten jullie die twee eikels wel kunnen vinden.'

Als hij dat gezegd heeft, hangt hij woedend op. Een uur later komen Nivelle en Idir met nog twee anderen in looppas terug, alleen.

Ze zeggen dat ze niemand hebben gevonden.

Ze zeggen: 'Ze zijn wel gezien, nou ja, niet door ons maar door anderen, anderen hebben ze wel gezien, heel veel mensen hebben ze gezien, maar toen het verkeerd liep zijn ze verdwenen en toen heeft niemand ze nog gezien.'

En degenen in de kazerne die hen kennen zijn verbaasd, en ze proberen zich de boerse Rabut en Bernard voor te stellen, met Février erbij die alles doet om ze te sussen en daar niet in slaagt, die zich verwonderd afvraagt wat er tussen die twee opeens ontploft is, want Rabut heeft uiteraard te veel en te snel gedronken, en ze zullen tegen elkaar zeggen: 'Rabut houdt altijd wel van ruzie in de recreatieruimte, maar iedereen weet dat die ander, zijn neef, helemaal niet zo is, eerder een beetje een kwezel, die neef, af en toe een biertje, meer niet, hij legt weleens een kaartje en zit misschien weleens te roken en te geinen met de anderen, maar het is geen prater, een zwijger, een beetje somber, een angsthaas, heel vaak met het misboek op schoot en gebeden op de lippen, zo kennen we hem.'

Zo denken ze hem te kennen.

Ze vragen zich af wat er gebeurd kan zijn en al gauw vragen ze zich niet eens meer af waarom Rabut zijn neef opeens zo ernstig aankeek in de bar, want de ander had gewoon iets onnozels gezegd, niet eens iets onvriendelijks. En toch keek Rabut hem toen opeens heel koud en hard aan en gaf toen antwoord, zette zijn glas op de toog en strekte zijn rug haast onmerkbaar, keek hem aan met een, hoe zal ik het zeggen, geniepige blik van beneden, gevolgd door een lichte grijns, en hij wilde niet ingaan op wat de ander zei: 'Wat moet je van me, studiebol?'

Rabut gaf geen krimp, hield zich in, hij leek het niet te horen, leek alleen maar aandacht te hebben voor de bar, de mensen en de muziek, verder niks, een grijns, zelfs geen grimas, nauwelijks een seconde lang, en toch moest hij zeggen: 'Nou, neef, zo kan-ie wel weer, genoeg daarover.'

En waar die omslag toen vandaan kwam, dat wist niemand, hoe alles tussen hen omviel en hun twee lichamen meevoerde, eerst richting de ingang, twee neven, lichamen, bijna even grote gestaltes als één grauwe massa in de deurlijst en hun handen die nog niet duidelijk te onderscheiden waren; en buiten was alles als een foto of een schilderij of iets met te veel make-up, verblindend wit licht, vijgenbomen, groen, beweging, en daarna alleen nog Février en stemmen eromheen die spraken, die lachten, die het wel grappig vonden, die luider werden, en nog geen geschreeuw tussen die twee mannen, ze gebruikten hun vuisten nog niet maar hadden al wel rode koppen en wijd opengesperde ogen als van een lijk of een nachtuil; dit kenden ze van buiten, maar wat ging komen nog niet, wat ze nu doormaakten, wat hen in een greep hield, en wat iedereen wel gehoord moest hebben bij de ingang van de bar, voordat iemand besloot dat er geknokt zou worden en dat ze – en dan zeggen hoe het zover gekomen was, niet alleen hoe het tot vechten was gekomen maar,

'Studiebol',

dat woord dat Rabut opving toen hij die middag al dronken genoeg was om het er niet zomaar bij te laten. De glimlach bij die blik. Die grijns. Hoe ze zich allebei naar voren wierpen, ze wierpen zich niet op elkaar, maar naar elkaar toe, klaar om op de vuist te gaan.

'Ga je me zelfs hier nog afzeiken?'

Ze staan allebei gespannen in de deuropening, ze zien niemand meer die binnenkomt, horen de stemmen en het aanvankelijke gelach van Février en een paar soldaten aan de bar niet eens; dan een stijf gebalde vuist, misschien wel zo stijf als een samengeperst pakje sigaretten dat op de toog is blijven liggen en dat als een hand, als een bloem, weer langzaam opengaat, opfleurt, ontspant en langzaam ontluikt, als een bewegend diertje, een krab die opzijloopt; en uiteraard dacht niemand in het begin dat ze echt zouden gaan vechten.

Er klinken stemmen. Muziek. Drukte op straat.

‘En toen je de dokter vond, hè, ging je je nagels toen ook schoonmaken, om maar niet te hoeven kijken? Vond je de dokter ook een slet toen hij doodging?’

De ander gaf niet meteen antwoord, zijn mond hing open en het speeksel glansde; toen balden zijn vuisten zich.

‘Je bent een klootzak, Rabut, altijd al geweest.’

Ze spraken geen van beiden over Mireille, hoewel Bernard aan niets anders dacht dan aan haar.

Mireille, zei hij bij zichzelf.

Haar naam als een droom die je vast moet houden. Toen sprong zijn hart opeens op, ja, zo was het, het sprong opeens op in zijn borst en hij rechtte zijn rug, want de ander had zich ook opgericht, en plotseling was er geen uitweg meer mogelijk, het kon geen vrede meer worden, want Rabut gaf Bernard een duw en hij had tranen in zijn ogen terwijl hij mompelend vol afkeer iets uitspuugde – Bernard meende het te verstaan, die naam, en dat beeld, ja, dat was wat Rabut zei, dat kwam er uit de mond van Rabut.

‘Dat wil ik al jaren tegen je zeggen, niemand heeft ooit het lef gehad om dat tegen je te zeggen.’

Rabut met tranen, nee, met opgezette ogen, en trillende stem: ‘Het was je bloedeigen zus en jij noemde haar een slet, dat zei je, je zei slet tegen haar.’

Bernard luistert niet naar hem, hij fronst zijn wenkbrauwen en spuugt op de grond: ‘Je weet niet waar je het over hebt, je weet er niks van, helemaal niks, niemand weet er iets van, en hou nou je kop, Rabut.’

En daarna geweld en geschreeuw, zelf schreeuwen ze niet maar de anderen wel, al die anderen die om hen heen staan en nooit hadden gedacht dat de strijd zo snel en hevig zou losbarsten. Geluid van vuistslagen, de klap van een vuist op een kaak, wie is er begonnen, de eerste tegen de andere, onvoorstelbaar, lichamen die elkaar vastgrijpen, zich uitstrekken, gebalde vuisten, gespannen nekken, borstkas naar voren, geschreeuw, bedreigingen, mijn god, allebei slaan ze buiten adem met hun armen iedereen weg die wil ingrijpen, tussenbeide wil komen, want daarin zijn ze het althans roerend met elkaar eens, die moeten allemaal oprotten zodat ze op elkaar af kunnen stormen, recht op elkaar af, schuimbekkend en schreeuwend, en daarna worden ze eruit geduwd, ze worden er allebei uitgezet, getrapt zelfs, ondanks Février en de andere soldaten, ondanks degenen die het met gebaren en woorden proberen op te lossen: 'Rustig nou.'

Nee,

Dat kan niet, dat zijn woorden die ze niet horen, gebaren die ze niet zien, handen die ze kunnen wegduwen; dat is allemaal onmogelijk, en het is nog het meest van alles onmogelijk om ze rustig te krijgen, daarin zijn ze eensgezind, het is onmogelijk hun het zwijgen op te leggen,

'Kappen nou.'

Ze merken niets van het gelach en de weddenschappen die er afgesloten worden, van de drommen mensen om hen heen en de handen die de vuistslagen imiteren: 'Kom op! Kom op!'

'Pak hem!'

'Pak hem!'

De handen zijn een haag die een omheining vormt, monden van kinderen vol watermeloen, een paar dunne witte wolkjes boven hen, jongetjes die lachen en schreeuwen en ongeruste vrouwen die tegen elkaar praten, elkaars blik zoeken, die door de kreten van verbazing en de aanmoedigingen heen roepen, sommigen van hen kijken zoekend rond en zeggen dat iemand ze uit elkaar moet halen, wie haalt ze uit elkaar, niemand, die kerels met de borst naar voren en hun gebalde vuisten, namaakboksers, een hanengevecht, terwijl andere vrouwen zich juist ook hees schreeuwen, we moeten de politie waarschuwen, we moeten iemand waarschuwen, hun stemmen gesmoord door het stof en de harde, korte klappen, de vuisten, gehijg en geschreeuw, een soort geschreeuw, en dan gelach, Een soort gelach.

En terwijl ze erop los slaan kunnen ze geen van beiden ergens aan denken, kunnen ze zich niets voor de geest halen, en toch wordt hun hart een stuk lichter, geen van beiden weet waarom.

Maar er valt hun een pak van het hart.

En om hen heen de zon en het geschreeuw en de mensen als kleurvlekken en onbegrijpelijke, verre geluiden, nog verder weg dan de oorzaak van die behoefte om te slaan. Alsof hij, Bernard, zijn moeder aan het slaan is. Alsof hij eindelijk zijn moeder ervanlangs geeft, alsof ze een vent is en hij zijn haat eindelijk kan uiten; alsof hij een blaar vol pus doorprikt en het beeld van het lichaam van de dokter uitkotst – ze hebben allebei het gevoel dat ze huilen terwijl ze klappen uitdelen, dat ze zichzelf pijnigen door op de ander in te slaan.

Op dat moment kan Bernard zich niet voorstellen hoe het over veertig jaar zal zijn, over bijna veertig jaar, nou ja, bijna veertig, inderdaad, zo lang, zo veel jaar, kan hij zich die sprong in de tijd niet voorstellen, niet zien of vermoeden dat Rabut op die winternacht weer eens wakker schrikt omdat iemand in de loop van de dag het woord Algerije heeft gebruikt.

Terwijl hij aan het vechten is kan Bernard zich helemaal niets voorstellen.

Zijn stem en zijn gezicht over veertig jaar niet, natuurlijk niet. De verjaardag van Solange niet, het nachtblauwe juwelendoosje dat hij voor haar gekocht heeft niet, en zeker Chefraoui niet in de nacht daarna, of Rabut, die dik, zwaar en pafferig om drie uur 's nachts wakker schrikt, zoals altijd als hij last heeft van slapeloosheid.

En Rabut wordt net als anders wakker, met ogen die direct wijdopen zijn: dat wil zeggen, als hij beseft dat hij wakker is, lijkt het alsof zijn ogen al wijdopen zijn, terwijl zijn hand in de leegte rondtast naar de schakelaar van het bedlampje. Hij beeft een beetje en heeft wat last van kortademigheid. Hij wordt wakker in zijn eigen bed, naast zijn vrouw Nicole, die met haar rug naar hem toe ligt en niets doorheeft. Hij heeft het gezicht en het lichaam van een man van tweeënzestig en hij is moe, hij voelt zich zwaar en uitgeput, hij heeft een droge mond, hij strijkt er een paar maal met zijn vingers over, en ook over zijn gezicht, om de kreukels eruit te krijgen, om het gezicht van vroeger terug te krijgen, het gladdere gezicht waarmee hij helderder kon zien. Maar nee hoor.

Eerst moet hij een stukje overeind komen, rechtop in bed gaan zitten, en dat is niet eenvoudig: het kussen in zijn rug glijdt weg, valt plat op de matras, hij moet zich een beetje omdraaien om het weer rechtop te zetten zodat hij kan gaan zitten, hij lijkt wel een drenkeling, hij ís een drenkeling, hij verdrinkt – en terwijl hij het knopje van het bedlampje naast zich probeert te vinden, ziet hij de beelden weer langskomen en hoort hij die ruzie van toen weer, die misschien was uitgedoofd als hij zijn bek niet had opengetrokken, waar hij zich sindsdien zo vaak verwijten over heeft gemaakt; als hij in plaats van zijn bek open te doen en de woede aan te wakkeren van die man die tegenover hem stond en die zo'n hoge prijs zou betalen voor die ruzie, als hij dat gekund had, als hij het geweten had, nee, dan had hij de woede van Bernard niet aangewakkerd en dan.

Maar dan –

zou Bernard – Hij heeft hem ook het leven gered. Want door die ruzie, dankzij die ruzie zijn ze die avond niet teruggegaan naar het kamp, waren ze gedwongen om in de kazerne te blijven.

Zo is het. Als ze naar het kamp waren teruggekeerd zou het allemaal niet zo,

zo,

zo zijn gelopen.

En Rabut zit maar wat in bed, futloos, zijn lichaam futloos door de jaren en het gezinsleven, alle huwelijken, geboortes en eerste communies, alle smulpartijen met andere veteranen uit Noord-Afrika – *mechouis* met schapen aan het spit – zijn heimwee naar iets wat daar verloren is gegaan, misschien zijn jeugd, want misschien maak je zelfs de herinneringen die je maar liever wilt vergeten en waar je nooit, nee, echt nooit helemaal vanaf komt, wel mooier dan ze zijn. Je verfraait ze een beetje, speldt jezelf wat op de mouw, ook al is het best prettig te weten dat je niet de enige bent die daar geweest is en af en toe eens met de anderen te kunnen lachen, ook al ben je 's nachts helemaal alleen als je met je klamme handen de schimmen uit het verleden te lijf moet.

En hij laat zich overspoelen door de jonge Rabut die hij geweest is, die maar bleef doorslaan zonder acht te slaan op de klappen die hij zelf kreeg, op de pijn, op het feit dat hij bijna bezweek, hoe ze luid schreeuwend over de grond rolden, en Bernard die – Rabut kan zich dat niet herinneren – zijn gezicht vastpakt, zijn klauwende vingers erin vastzet, hem tegen de grond drukt en maar door blijft slaan, steeds harder, steeds sneller, met vuisten als een hakmes of een beitel, mokerslagen, vuistslagen – maar het ergste moest nog komen – de pijn zou weken aanhouden – nog steeds – maandenlang – zijn kop tegen het asfalt – de ander slaat maar door, klemt zijn vingers om zijn oren en probeert ze er bijna af te trekken – en de vuisten waarmee hij hem op de ogen slaat – het lichaam begeeft het – de ogen gaan dicht – de huid barst open – de ander zit boven op hem – hij wordt verpletterd en al gauw is er niets anders meer dan een enorme vermoeidheid en het gevoel dat zijn hele lichaam het opgeeft – alles barst, alles is ontwricht, stilte in zijn hoofd en bloed in zijn mond – golven bloed in zijn mond – de geur – zijn neus bloedt ook – hij kan niet meer ademen en kan de woorden die tot hem komen niet meer horen.

En Rabut ziet het gezicht van de man bij wie hij wordt binnengedragen niet, de man die de vechtpartij door het raam heeft gezien en die komt aanrennen met een dokterstas en met zijn vrouw achter zich aan, die hem smeekt om zich er buiten te houden. Maar de man luistert niet.

Hij komt aangerend, nu al bezweet, zwaar ademend, hij is in hemdsmouwen, heeft een zakdoek om het zweet van zijn voorhoofd en gezicht te wissen, en hij zegt van alles om de twee mannen uit elkaar te krijgen, vraagt hulp om ze uit elkaar te halen. Hij wil dat ze meegaan naar zijn huis, hij eist zelfs dat ze zich laten verzorgen voordat ze teruggaan naar de kazerne of waar ze maar naartoe willen, naar de duvel voor zijn part, maar eerst moeten ze ophouden, hou onmiddellijk op, ophouden, eist hij. En Rabut sleept zich ernaartoe, ondersteund door de man en Février, terwijl Bernard er met tegenzin een paar meter achteraan komt. Ja, Bernard gaat ook mee, inderdaad. Hij loopt automatisch, want sinds zijn vroegste jeugd al loopt hij altijd achter Rabut aan, hij beseft niet eens dat hij het Rabut zelf zou kunnen laten uitzoeken, en dus loopt hij automatisch achter hem aan. Hij helpt niet mee zijn neef te dragen, die er erger aan toe is dan hij, hij loopt hinkend achter hem aan, hijgend als een karrenpaard, met het hoofd naar de grond speurt hij een paar minuten zoekend naar de grond en het stof, alsof hij een bril kwijt is of zo, zijn horloge misschien, en uiteindelijk laat hij het er maar bij zitten.

Bijna twee uur lang leest de dokter hun, ernstig en toegewijd, met opgerolde hemdsmouwen de les, nu eens de ene neef, dan weer de andere, waarbij hij Février aanroept als getuige, die dat wel best vindt ook al werpt hij af en toe een blik op de torenklok waarvan hij de wijzerplaat van daaruit door het raam van de bibliotheek kan zien. En onder het verzorgen vertelt de arts van alles, hij leest hun vaderlijk de les terwijl hij met soepele, precieze gebaren kompressen aanlegt, zo voorzichtig dat het bijna teder is, en vol ontzetting blijft zeggen: 'Alsof er al niet genoeg geweld is! Jullie zouden niet moeten vechten, jongens, jullie zouden elkaar niet zo moeten toetakelen!' terwijl zijn vrouw achter hem in stilte thee en koekjes ronddeelt om iedereen wat op te kikkeren.

En al die tijd zegt Bernard geen woord. Hij antwoordt ja of nee, meer niet. Hij wacht. Hij kijkt naar de rug van de dokter, naar de armen en benen van Rabut, die van de onderzoekstafel af hangen. Bernard blijft zitten. Af en toe staat hij even op, blijft een tijdje staan zonder te weten waar hij heen moet, komt wat dichterbij, draait zich om en gaat weer zitten. Staat dan weer op, ditmaal heel snel. Loopt kaarsrecht en star naar het raam alsof hij weer weet waarom hij opstond, buigt zich voorover en kijkt naar de straat waar ze gevochten hebben.

Verder verloopt voor hen alles als in een koortsdroom. Is het een droom of is het meer alsof er een stuk van de tijd, van hun leven is uitgegomd? Hoe dan ook, als ze in de kazerne arriveren sluiten de gevangenisdeuren zich meteen achter hen drieën, ondanks de protesten van Février, om te ontnuchteren, om een beetje na te denken, wordt hun verteld. En hoe Février ook tekeergaat en roept dat hij er niets mee te maken heeft, het enige wat hij te horen krijgt en wat de hele nacht in zijn oren nadreunt is de zin: 'Dat leg je morgen maar uit.'

En hij ziet de deur die zich achter hem sluit; door een piepklein wit rechthoekje houden wijdopen pupillen hem lange tijd in de gaten, om vervolgens te verdwijnen in de duisternis.

De nacht. Drievoudige stilte en schitterende ogen. Drievoudige eenzaamheid.

Verder niets.

De volgende ochtend heel vroeg mogen ze zich bij de anderen voegen. Février praat niet met Bernard, want het is zijn schuld dat hij een nacht in de bak heeft gezeten. Hij heeft het koud, hij voelt zich vies, uitgeput, onuitgeslapen: hij weet dat ook hij gestraft zal worden, omdat ze te laat terug zijn gekomen, en ook voor de vechtpartij, en daar is hij woedend over.

Maar het was niks, helemaal niks, zal hij later, aan het einde van de jaren zestig, tegen Rabut zeggen, als hij hem zal komen vertellen dat Éliane en hij, dat de boerderij, dat hij in een voorstad van Parijs Mireille en Bernard met hun eerste kind heeft opgezocht, zij zwanger en droevig, niet zozeer oud maar aan de rand van de wanhoop, die veel droeviger en somberder was dan de ouderdom, en Bernard, heel anders dan –

Nee dus.

Nee, dat we zo in het konvooi zaten dat ons teruggebracht naar het kamp, woedend en triest als we waren, en smerig ook, dat was niets, en je moest zelfs moeite doen om het je te herinneren, zou hij later tegen Rabut zeggen, op die dag zeven of acht jaar nadat het allemaal gebeurd was; tijdens het eten was hij zo vrolijk geweest, hij had over van alles gepraat, heel onderhoudend, en Nicole had nog vaak aan hem teruggedacht als een lange slungel die het voortdurend over zijn geboortestreek, de Limousin, had gehad.

Terwijl hij ook en vooral praatte toen de nacht was gevallen en de vrouw en de kinderen naar bed waren, terwijl hij die avond veel had gepraat, heel veel zelfs, jaren later, over wat hun beiden was overkomen, nou ja, toen ze elkaar troffen en met z'n tweeën lichtelijk aangeschoten spraken over hoe moeilijk het was om daarna door te leven, al die slapeloze nachten, hoe ze niet meer konden geloven dat het een oorlog was geweest, daarginds in Algerije, want oorlogen worden gevoerd door kerels tegen kerels terwijl wij, en omdat oorlogen bovendien worden gevoerd om gewonnen te worden, terwijl daar – en ook omdat oorlog altijd wordt gevoerd door klootzakken tegen de goeien terwijl er daar geen goeien waren, het waren gewoon mensen, en ook omdat de oude mannen zeiden dat het lang niet zo erg was als Verdun, ze maakten ons gek met hun Verdun, god, al dat gelazer over Verdun, hoelang zouden we dat nog moeten aanhoren, en die anderen later, die de eer hadden gered en zo – maar wij, maar ik, had Février gezegd, zie je, ik heb niet eens geprobeerd om erover te vertellen, want toen ik terugkwam was er niets meer voor me, alleen werk op een boerderij, beesten die te vreten moesten hebben en verder wat in de verte turen, naar de boerderij aan de overkant, het autootje waar Éliane elke zondag tegen vijf uur uit stapte als ze terugkwam van een bezoekje aan haar schoonouders. Want toen ik terugkwam was het echt moeilijk te verteren dat ze getrouwd was. Getrouwd, met een buurman nog wel, een stumper voor wie ik nooit enig respect had gehad omdat ik wist dat zijn hele familie in de Tweede Wereldoorlog had gecollaboreerd, allemaal collaborateurs die op het laatste moment gauw van mening waren veranderd, allemaal viezeriken die de laatste Duitsers met klappen van de spade verjoegen, dat weet ik, dat heb ik uit goede bron, mijn vader heeft het me verteld, niemand was kwaadaardiger dan die verzetshelden van het laatste uur, ze hadden iets te bewijzen, goed te maken, ze moesten laten zien dat ze aan de goede kant stonden, zo veel ellende alleen maar om te laten zien dat ze aan de goede kant stonden, ja, aan de goede kant, ik weet het zeker, het is me verteld, een jongen van twintig doodgeslagen met een schop, en dan te bedenken dat zij met iemand uit die familie is getrouwd, tuig is het, omdat hij geld had en was afgekeurd voor dienst, nou, toen ik terugkwam ben ik maandenlang de deur niet uit geweest en werkte ik harder dan ooit op de boerderij, ik verving het hek, wandelde urenlang door de velden, en ik vond die modder niets beter dan de rotsige aarde daar, neem dat maar van me aan, toen nog niet, modder, laarzen, vochtige, vette klei op de velden waar je in wegzakt, nou goed, de enige met wie ik kon praten zonder te gaan schreeuwen was mijn hond, als ik urenlang door het bos liep, zelfs 's avonds, hij was de enige tegen wie ik kon praten.

En zo is het nog steeds. In het dorp waren er zat kerels zoals ik. We spraken nooit over Algerije. Maar we wisten precies waar we aan dachten als we zeiden: wij zijn net als iedereen, en dieren zijn beter dan mensen, want die hebben maling aan goeieriken.

En toen Février het daarover had wilde hij ook de stilte van de dag daarna beschrijven, toen ze op weg gingen naar het kamp, hoe kwaad hij op Bernard was geweest dat die hem had meegezogen in een familiedispuut, het mocht wat, familiegeschiedenissen.

En jarenlang kon Rabut geregeld denken: ik weet niet waarom ik 's nachts niet meer slaap, ik weet echt niet of dat door Algerije komt of alleen doordat Février me jaren later heeft verteld over dat ze toen ze in het kamp waren aangekomen en de olietanks zagen, die hen als geharnaste reuzen verwelkomden, en de wind. Het woei die ochtend hard, hij zei dat dat van belang was omdat het zand hun allemaal in het gezicht sloeg, de korrels prikten in je ogen en de huid van hun wangen was zo rood als wanneer je het brandende gevoel na het scheren tot rust brengt met alcohol, vertelde hij.

En nu hoort Rabut al jaren de stem van Février, en hij ziet nog hoe hij daar zit en de tocht van die ochtend beschrijft; en hij wordt sindsdien heel vaak wakker met het idee dat hij het met eigen ogen gezien heeft, alsof hij erbij was, terwijl hij zelf toch echt in de kazerne in Oran zat en zich alleen Février's woorden herinnert.

En misschien ook iets van de doodsangst van Février en de anderen, van alle anderen in de jeeps en de halftrack, van wie de lichamen tijdens die terugtocht heen en weer schudden over de weg vol stenen en gaten, terwijl de wind en het zand hen geselen en het blauw van de hemel een stoffige smaak geven die tot diep in je keel doordringt. En hoe ze ook kuchen, hoeveel ze ook drinken, niets helpt – je hand voor de mond houden niet, je lippen stijf op elkaar houden ook niet; alle lippen zijn kurkdroog, ook al is het nog vroeg en staat de zon nog niet zo hoog aan de hemel, een hemel die trouwens nog niet diepblauw is, maar nogal flets en aarzelend. Maar aan het zand en de wind is niets aarzelends en ze zijn zo irriterend rond de ogen als muggen, ze prikken als kleine hagelkorrels. Tot aan de horizon is alles, zover het oog reikt, een beetje lichtbruin, een kleur die door niets wordt onderbroken, nee, zo is het, de rechte streep van de horizon wordt door niets onderbroken, door helemaal niets, niet door verticale palen die dienstdoen als telegraafpalen, niet door de draden die ertussen zijn gespannen – want ditmaal hebben ze niet slechts één of twee palen omgezaagd. Maar alle palen langs de weg. Sommige palen zijn in de richting van de berm gevallen, andere liggen over de weg en versperren hem over de volle breedte – misschien, ongetwijfeld zelfs, hebben ze zelfs uit alle macht geprobeerd om ze die kant op te laten vallen; de draden zitten in de knoop en liggen als dode slangen in het zand, en de hele tocht lang moet het konvooi geregeld stoppen, tientallen keren.

Dan zien ze dat het de hele route doorgaat, zo ver je kunt kijken, want verderop zit er een bocht in de weg en daalt hij af naar de zee, zodat je heel ver over het landschap kunt uitkijken en je meteen kunt zien dat er bijna niets meer te zien is.

'En dat', had Février gezegd, 'genas me van mijn slechte humeur, van mijn boosheid tegen Bernard. Alsof we opeens weer beseften dat er wel belangrijker dingen waren, dat zulke dingen nou eenmaal gebeuren, en mijn maten en ik keken elkaar aan, we deelden dezelfde angst en dezelfde vragen, dus wat er de vorige dag of zelfs een paar uur geleden tussen ons was gebeurd, deed niet meer ter zake; we waren allemaal even bang, we deelden alles op dat moment, we hadden dezelfde blik in de ogen.' En ook de behoefte om met elkaar te praten, want als het konvooi langs de kant van de weg stopt en we eerst een ogenblik lang met stomheid geslagen zijn en daarna een voor een uit de jeeps stappen, zien we dat het lijkt alsof de fellaga's dit op hun dooie gemak hebben gedaan, zonder angst voor wie dan ook, ja, zo voelt het, en we denken ieder voor zich: alsof ze het hier voor het zeggen hebben.

Eerst zeggen we tegen elkaar dat alles net als anders is en dat je er verder niets achter moet zoeken. Daarna worden we nerveus, al gauw trappen we allemaal de palen in de berm en daarna organiseren we ons: de ene auto rijdt een stukje door, stopt bij de eerste hindernis, drie mannen springen eruit, tillen de paal op en leggen hem weg, terwijl de rest van het konvooi voorbijrijdt en verderop stilhoudt en anderen hetzelfde doen, waarna de eerste jeep ze weer inhaalt enzovoort, en zo door. De hele weg lang, zonder een woord. Behalve dan dat we al doende steeds kwader worden en iedereen al gauw behoorlijk geïrriteerd raakt, niet alleen omdat we zweten en we dorst hebben en het einde nog niet in zicht is. Maar we voelen dat dit een provocatie is en we hebben er geen antwoord op, we staan machteloos, we houden ons voor dat de fellaga's ons ergens vanuit een schuilplaats liggen uit te lachen, we stellen ons hen voor – zoals altijd kunnen we ons alleen maar een voorstelling maken, want zien doen we ze nooit, daar kan al onze woede niets aan veranderen, die geeft ons alleen energie om nog sneller te werken en de weg zo gauw mogelijk weer begaanbaar te maken. En we onderdrukken de behoefte om te schreeuwen tegen dit hele land met al het grind, de struiken, de olijfbomen, de wind, de zee en alles, de lucht, de doornstruiken, de graspollen, alles wat ons bekijkt en ons samen met de fellaga's bespot: kom dan, kom dan, kom dan knokken als jullie kerels zijn, laat zien dat jullie kerels zijn – alles beter dan dit, dan deze eenzaamheid, deze neerslachtigheid, deze wanhoop die ons naar de keel grijpt als we de remmen horen van de andere jeep, die vijftien meter verderop tot stilstand komt.

Zo rijden we stapvoets naar het kamp, en nu zijn we allemaal geïrriteerd. We zeggen geen woord, kijken alleen om ons heen met snelle, vluchtige blikken die nergens op blijven rusten, dat is het enige waarmee we die veel te grote stilte en die veel te grote ruimte kunnen vullen die we misschien al wel kennen, maar waar we nu naar kijken alsof we haar voor het eerst zien, alsof ze een grot of een berg is; we kijken rond met buikpijn van angst, de wapens binnen bereik van onze klamme, trillende handen, maar niet lang, want we wisselen blikken uit.

Niet om een antwoord te vinden op wat we niet begrijpen, maar om onszelf de kracht, de moed te geven om door te gaan, niet om het te begrijpen.

Want wat dat betreft, nee, we begrijpen er helemaal niets van, er valt niets te begrijpen.

Waarom zijn we plotseling zo bang voor de stilte en nog meer voor wat die zou kunnen betekenen? Opeens zijn we bang, niet meer voor onszelf, voor ons eigen hachje, maar voor de anderen, daar, in het kamp – en de motoren die zo langzaam draaien, zelfs de weg lijkt beter dan anders omdat je als je minder hard rijdt de gaten niet zo voelt, maar dat stelt niemand gerust, net zomin als de stilte dat doet. En niemand van ons zegt nog iets. We kunnen het niet. Stilte. Afwachten. We rijden heel langzaam en we horen het grind en de kiezels onder de wielen knerpen. Met de handen op het wapen, handen die op een bepaalde manier altijd te veel zijn, een plotseling onprettig gevoel in je handen dat kriebelt tot in je vingertoppen. Dan de heuvels. Het struikgewas. Een paar bomen langs de kant van de weg en ver daaronder de zee en de grote olietanks waar de zon nog niet verblindend op schijnt zoals hij dat 's middags soms doet.

Als we bij het kamp aankomen, zien we meteen al iets vreemds, wie spreekt het als eerste uit, wie durft het te zeggen: 'Verdomme, zien jullie dat', nee, ik weet niet wie dat zegt.

Er worden alleen een paar snelle blikken gewisseld. We proberen het te begrijpen. Of beter gezegd, ons niet te laten overspoelen door wat we denken dat er gebeurd is, door wat zich voor onze ogen afspeelt. Dan vragen we: waar is de commandant, iemand moet beslissen wat we nu gaan doen, want opeens weten we niet meer wat we moeten doen of denken, we zijn besluiteloos, en dan minderen de wagens vaart en remmen af, in plaats van door te rijden en na de laatste bocht aan de afdaling te beginnen. We horen dat de handrem wordt aangetrokken, krakende assen, het hele konvooi komt tot stilstand.

We wachten.

We zien van boven, vanaf de weg, dat op de binnenplaats van het kamp de vlag niet is gehesen. De mast staat er kaal bij, er wappert geen vlag. Niemand zegt het hardop, we wijzen elkaar er alleen op door ernaar te knikken.

Dan brengt iemand het onder woorden: 'De vlag hangt er niet, de vlag is niet gehesen.'

We weten niet wat we daarvan moeten denken. Of

weten we het al wel? Misschien wel. Misschien weten we het. Al wel. Weten we het? Pas later zullen we tegen elkaar zeggen dat we het op dat moment al wisten, dat we het gewoon niet hardop tegen elkaar durfden te zeggen, ja, zo is het.

We blijven nog een paar minuten staan – en een paar minuten kunnen heel lang duren – terwijl het stationaire draaien van de motoren het golfplaat van de auto's laat trillen, en ons ook, en daarna horen we de stem uit de eerste jeep, die namen opnoemt, vijf namen van degenen die vooruit moeten gaan en met hun uitrusting uit de jeeps moeten stappen.

En ja hoor, de eerste namen zijn die van ons. Bernard en ik. Wij als eersten en dan nog drie anderen.

Maar wij als eersten, omdat. Omdat. Later zouden ze zeggen dat dit had kunnen gebeuren omdat wij er niet waren toen we uit de kazerne zouden vertrekken, dat wij in zekere zin de fellaga's in de kaart hebben gespeeld.

Ja, dat zouden bepaalde mensen zeggen.

Alsof ze het ons nog eens wilden inpeperen. Alsof wij tweeën, Bernard en ik, niet allang zelf hadden bedacht dat als het konvooi op tijd vertrokken zou zijn, dat dan, ja, het was niet eenvoudig te zeggen wat er dan gebeurd zou zijn, of om zomaar te zeggen, ja, het komt door ons. Misschien komt het door ons. En hoe vaak heb ik niet bij mezelf gedacht dat ik Bernard en zijn neef meer had moeten opjutten, dat ik ze allebei had moeten meesleuren, of eigenlijk alleen Bernard, want wat maakte het mij nou uit of Rabut wel of niet naar de kazerne ging, wat zou dat, voor mij was Bernard de enige die telde, en ik heb mezelf nooit toegegeven dat het door die vechtpartij kwam, dat het kwam doordat we te laat waren en ze op ons bleven wachten, dat was op bevel van de luitenant of de korporaal, van een superieur in elk geval, van iemand uit het kamp; daar konden wij echt niks aan doen, zij hadden besloten dat iedereen moest blijven, dat ze niet zonder ons weg zouden gaan, dat ze op ons wilden wachten en het vertrek van het konvooi uitstelden; wij waren het niet die beslisten dat iedereen moest wachten omdat een stelletje eikels niet op tijd terug was!

Bovendien stond het nog maar te bezien of het dan anders was gelopen. Dat stond nog te bezien. Of het anders was gelopen. Ik heb dat toen niet tegen Bernard gezegd en hij heeft het ook niet tegen mij gezegd, maar natuurlijk wisten we allebei uitstekend dat alles wel anders zou zijn gelopen als het konvooi vertrokken was in plaats van op ons te moeten wachten; de fellaga's wisten dat we niet zouden vertrekken en daarom hadden ze aangevallen – ze wisten dat bijna de helft van de eenheid afwezig was en dat tikt aan, dat wisten ze, anders hadden ze het nooit gedurfd. Nee, niemand hoefde ons te vertellen dat het door ons kwam.

Nee.

Niemand hoefde te zeggen: 'Door dat gelazer van jullie. Door jullie gelazer', en ze zorgden er allemaal voor dat ze niet meer met ons hoefden te praten, ze wendden zich van ons af, keken weg als ze ons zagen, veranderden van onderwerp, liepen gauw door, vol minachting. En Bernard en ik moesten ermee verder leven. Terugdenken aan de beelden die het ergst van alles waren: onze opgemaakte, onbeslapen bedden. De bruine deken keurig over het bed. En de aan de muur geprikte foto's bij de hoofdkussens die ons toelachten. Bij mij de foto van Éliane en bij Bernard de ansichtkaart van een fluorescerende heilige maagd met gevouwen handen en een extatische, betraande blik – en overal om ons heen stilte en het bloedbad, en alleen die verdomde schildpad die zijn zwarte, rimpelige kopje optilde, dat wiegelende kopje met de zwarte knipperende kraaloogjes, zo lichtgevend als kattenogen in de nacht of het chroom van een auto, met de onschuld van een oud vrouwtje dat door een mijnenveld loopt zonder dat er ooit iets in haar gezicht was ontploft.

Achteraf is het natuurlijk makkelijk praten, achteraf kun je zeggen dat het de schuld was van Bernard, van mij, van Rabut, van wie je maar wilde.

Maar het was vooral de schuld van degenen die het gedaan hadden.

'Daarna', vertelde Février, 'weet ik niet hoe ik onze angst moet beschrijven als we langzaam doorlopen, met het bovenlichaam naar voren, benen gebogen, het geweer in de aanslag, bijna hurkend – ik bedoel, wij gaan vooruit naar het kamp, een paar meter, met z'n vijven, ik voorop, dan Bernard, gevolgd door de drie anderen – allemaal zo bang dat we even helemaal nergens meer aan denken, niet aan de angst en niet aan iets anders. Je weet niet eens meer waarom je daar loopt. En je klampt je vast aan je wapen en je zet het op een lopen. Met gebogen hoofd ren je als een kip zonder kop verder, in die belachelijke houding, als een krab of zo, om je klein te maken en niet op te vallen. En het moeilijkste is om niet te gaan schreeuwen.

Je zou het willen uitschreeuwen en je weet dat je moet denken aan al die uren waarin je geleerd hebt wat je nu moet doen, hoe je de krijgshandelingen uitvoert, alsof het nu oorlog is, ja, het is ook oorlog, en wij zijn soldaten. Echte kerels zoals onze ouders en opa's – vooral onze opa's – zich die wensten, en later zullen we ons afvragen: 'Is dit dezelfde angst als toen in Verdun, of in '40, of in welke oorlog dan ook?'

Er is niemand, echt niemand, die me dat heeft kunnen vertellen. En ik bedenk: ja, dit is een soort oorlog. Ik weet niet precies wat dat inhoudt, oorlog, maar dit lijkt er verdomd veel op. Ik weet alleen dat we zo zwaar ademhalen dat we de indruk hebben dat de hele omgeving ons kan horen.

En ik weet nog hoe de vorm van de tralies aanvoelt tegen mijn vingers, het hek dat al open blijkt te staan, er is niemand, geen wachtpost, niks, geen van onze maten. We kijken elkaar aan. We vragen ons af of we moeten roepen. Bernard geeft me een teken om het maar liever niet te doen. Dus duwen we een beetje, een klein beetje maar, met de hand tegen het hek, je hoeft geen kracht te zetten. Een klein duwtje en het is open.

Het zit niet op slot. Dat zou wel moeten. Dat moet wel, natuurlijk moet dat, maar het is niet zo, en als het hek openzwaait hoor ik geknars en verder alleen mijn ademhaling, zo zwaar alsof mijn borst uit elkaar spat. Ik voel opeens het gewicht van mijn kleren op mijn huid, mijn nek is zo stijf dat ik me maar moeilijk kan omdraaien om een blik met Bernard te wisselen. Hij kijkt me aan. We begrijpen het niet. We willen het niet begrijpen. Wat we dan tegen elkaar zeggen over dat hek dat zomaar, zonder enige weerstand opengaat, over de vlaggemast die daar staat zonder vlag in top, over het feit dat er niets, niemand, nog steeds niemand is, wat we dan zeggen is dit klopt niet, de woorden rollen uit onze mond: 'Dit klopt niet, dit klopt niet.'

De woorden brokkelen af en vallen neer, en nu zijn ze alleen nog maar een weke brij die blijft steken in je keel, angst, woede en nog meer angst, zo veel angst, en we kunnen niet geloven dat het echt gebeurt wat ons hier overkomt, de gedachte die we aan het uitwerken zijn, die zich vormt in ons hoofd is belachelijk, en we kijken elkaar aan en zeggen: 'Doorlopen, ik dek je.'

En het belachelijke idee waarmee we onszelf ook indekken, dat we heel serieus bedenken dat ze daarbinnen gewoon vergeten zijn om op te staan.

Niet te geloven hoe stom die gedachte is.

Maar het is ook een manier om niet te gaan brullen, om de namen niet uit te brullen van al je kameraden die je zo graag zou willen zien verschijnen. Maar nee hoor. Stilte. En dus dek je jezelf op alle manieren. Je zegt dat je gedekt bent omdat er ergens achter je rug iemand staat te trillen die gereed is om erop los te schieten als je gedood wordt. Als iemand begint te schieten. Als er iets beweegt. We dekken elkaar. Je moet toch wat. Rennen en in je hoofd een gedachte de vrije loop laten, en dan nog een, en dan geen enkele gedachte meer, niets, en naar achteren gebaren dat ze verder kunnen.

En dus komt de volgende. Bernard vlak achter me aan. En dan nog een. We zijn met z'n drieën. Dan met z'n vieren. Dan met z'n vijven. En dan met de anderen die erbij stonden te kijken. En de ijzeren deur die toegang geeft tot de wachttoren staat open, terwijl hij juist dient om de schildwacht die erin zit te beschermen. Die toren zou ook niet open moeten zijn, dat weten we, maar we zeggen er niets van. We zeggen nog niet dat je er een sleutel voor moet hebben, we zeggen alleen dat we door moeten lopen. En dat doen we.

Drie blijven er beneden en de twee anderen gaan de trap op. En terwijl ze nog op de trap zijn, weten we al dat we langzamer zouden willen lopen, we zijn klaar om te schieten, we weten dat we kunnen schieten, maar onze vingers zijn hard en stijf, ook al trillen ze, alles trilt behalve het beton van de treden onder onze voeten en Poiret bovenin, met zijn lichaam dat achteroverhangt, badend in het bloed, met wijdopen ogen die in het niets staren.

En de vragen kwamen niet direct, maar al wel heel gauw, zei Février, ja, al heel gauw, als we merken dat de deur van de wachttoren openstaat, niet opengebroken of zo, geen krasje te zien, hij is gewoon open. Ze hebben dus een sleutel gehad. Dat zeggen we tegen elkaar – maar eerst, vervolgde Février, is er de afschuw, en ik rende weer naar beneden, ik viel bijna, ik schreeuwde onder het lopen en duwde Bernard opzij, Bernard vertelde me later dat ik schreeuwde en ook dat ik moest overgeven, en ik wist daar helemaal niets meer van, maar ik zag me daar nog wel staan, met trillende benen, woedend, opstandig en razend als ik al mijn maten, de een na de ander, met doorgesneden keel op hun bed zie liggen, alsof ze de tijd niet hebben gehad om op te staan, je kunt zeggen wat je wilt, wat je kan, je kunt het proberen te vertellen, te beschrijven, je kunt het je proberen in te denken, voor te stellen, maar in het echt kun je je geen enkele voorstelling maken van de oorverdovende stilte die ons tegemoet slaat als we de slaapzaal betreden, de stilte die zo zwaar is dat ze op je borstkas drukt alsof je op heel hoog zit en last hebt van de ijle lucht, je denkt dat je stikt, ten eerste omdat het licht in de slaapzaal brandt, het eenvoudige peertje met het gele flakkerende licht dat je zelf zo goed kent, want net als iedereen zit jij ook al vanaf het begin te klagen over dat geflakker, iedereen klaagt erover, zoals iedereen over alles klaagt, en sommigen van die maten liggen hier nu dood, en jullie zien het, jullie zien hoe ze gevochten hebben, jullie weten het, sommigen zijn aangekleed, die hadden nog de tijd om zich aan te kleden en te vechten, sommigen, maar niet allemaal, want anderen liggen in bed met zelfs de deken nog over zich heen alsof ze zich nergens van bewust zijn geweest. En weer anderen niet. Bij hen zie je sporen van geweld: hoofden die zijn ingeslagen met geweerkolven, zo was Châtel ook gedood, met klappen van een geweerkolf, de voorkant van zijn schedel was ingeslagen, en wat hebben ze rustig de tijd genomen om hen toe te takelen, hun allemaal een Kabylische glimlach te geven door hun hals van oor tot oor open te snijden en hun huid dan om te klappen; dikke huid, de vreemde uitdrukking die het gezicht erdoor krijgt alsof er een masker over het hoofd is gelegd en het hoofd zelf niets, helemaal niets meer is, alleen maar een masker met niets eronder, die huid, het dikke, bruine bloed en de zware, ranzige geur, een vreselijke geur, we kunnen niet blijven staan kijken naar al die mannen die we gekend hebben, al die mannen, en die plek, onze slaapzaal, en dan is er nog de vraag hoe ze de wapens uit de kleine wapenopslag hebben gekregen waar ze bewaard werden.

Op dat moment denken we nog niet aan Abdelmalik, maar korte tijd later wel, en niet omdat we alleen een beetje aan hem twijfelen, nee, we hebben bewijs: hij is er niet, hij is verdwenen, gevlucht, en iemand moet die deuren geopend hebben – wie anders dan hij – iemand heeft de twee mannen die 's nachts op wacht stonden gedood – wie anders dan hij – hij heeft de nachtwakers van binnenuit gedood, ook al weten we niet hoe het hem in zijn eentje gelukt is om ze allebei om te brengen, hoe hij dat voor elkaar heeft gekregen, of misschien heeft hij eerst Poiret boven in de wachttoren gedood en heeft hij daarna het hek opengedaan, zodat ze met z'n allen binnen konden komen, zodat ze er opeens waren, hij, met de sleutel. Te bedenken dat Abdelmalik hiertoe in staat was, dat hij stond te kijken naar wat de anderen deden toen ze iedereen vermoordden met wie hij maandenlang was opgetrokken, je zegt tegen jezelf dat zoiets dus mogelijk is, ja, het kan, ik bedoel niet verraad plegen of naar de andere kant overlopen, maar jongens afslachten met wie je lol hebt gemaakt en van wie je weet dat ze vrij positief tegenover de strijd, de onafhankelijkheid en de bevrijding van het land staan, maar eigenlijk meer dan alles zouden willen dat het voorbij was en zodat ze terug naar huis kunnen.

Hoe hij dat heeft kunnen doen, dat zal ik nooit begrijpen, hoe is het in godsnaam mogelijk.

En hoe iemand kan doen wat Bernard en ik later samen ontdekken, wij samen, ja, alweer wij samen, als we het huis betreden en het lichaam van Fatiha vinden, en de ouders van Fatiha, en de baby, allemaal dood, ja, hoe kan iemand zoiets doen.

Want ja, als je doet wat zij hebben gedaan, ik denk niet dat je dat kunt uitspreken, dat je je kunt voorstellen dat je dat uitspreekt: het ligt zo ver van alles af dat je zoiets doet en toch hebben ze het gedaan, hebben mensen dat gedaan, mensen, meedogenloos, zonder enige menselijkheid hebben ze de vader verminkt door zijn armen af te hakken, hebben ze zijn armen afgehakt en de buik van de moeder opengesneden en –

Nee.

Dat kan niet.

'Ik moet er continu aan denken en ik slik trouw alle pillen die de dokters me voorschrijven', vertelde Février. 'Maar hoeveel pillen ik ook slik, hoeveel dagen ik op de boerderij werk, hoezeer ik elke avond weer bedenk dat ik de nacht weer moet zien door te komen, nee, hoe ik er ook over nadenk, snappen doe ik het niet.

En ik snap ook niet dat Bernard en ik daarna veroordeeld zijn. Dat ze niet zeiden dat we doordat we te laat waren het leven hebben gered van alle mannen in het konvooi en van onszelf, maar juist dat het onze schuld was, dat de fellaga's dankzij ons hun gang konden gaan. En toen werd vooral Idir onder druk gezet om te vertellen wat hij wist, en hij vertelde dat hij er af en toe wel een vermoeden van had dat Abdelmalik ons weleens zou kunnen verraden, maar dat hij niet geloofd had dat hij het echt zou doen. Hij had het niet gedacht, en toch had Abdelmalik ons allemaal verraden, inclusief Idir, want drieëntwintigduizend oude francs per maand was na verloop van tijd toch niet genoeg, niet voldoende om wat hij beschouwde als verraad aan zijn eigen mensen te rechtvaardigen, en dat had Idir, die het bijna had zien aankomen, niet geloofd, zoals hij ook niet had geloofd dat, zoals hij vertelde, Abdelmalik serieus was als hij zei dat ze toch nooit als echte Fransen geaccepteerd zouden worden, wat ze ook deden, hij niet en niemand niet, dat iemand als zij, een Noord-Afrikaan zoals zij, nooit een echte Fransman kon worden, want uiteindelijk dacht Abdelmalik dat wij eigenlijk allemaal racisten waren en dat dat nooit zou veranderen, en uiteindelijk had hij zich tegen ons gekeerd, maar Idir had dat niet geloofd, zoals hij ook niet wilde geloven wat hij toch elke dag in het kamp steeds duidelijker zag, want toen ze hem vroegen of hij zelf ook twijfels had begreep hij wat ze bedoelden, en hij aarzelde voor hij antwoord gaf, en hij zei dat hij Fransman was en geen reden had om de vlag die de zijne was te verraden zolang hij dat was.'

'En daarna, als je weer thuis bent,' vertelde Février, 'sta je er versteld van dat niemand je iets vraagt, maandenlang niet. Net als iedereen lees ik de krant en daar stond in dat het voorbij was, dat Algerije niet Frans meer is, dat de oorlog is verloren, maar niemand in de bar maakt er ooit een toespeling op. De oude mannen klaverjassen. Het is hoogzomer en ze vragen zich af of er genoeg veevoer voor de hele zomer is.

Als ik de kroeg binnenkom, kijken de mensen die me lang niet hebben gezien me aan en zeggen dat ik ben afgevallen, dat ik eruitzie als een man.

Ja, dat is het, ik ben een man.

Ze vragen hoe het was in Algerije en soms zegt iemand die het wel wat interesseert dat het jammer is dat het allemaal voor niets is geweest. Maar toch zijn ze blij dat het allemaal voorbij is, en dan. Dan beginnen ze over iets anders, hoe gaat het met je ouders, twee extra handen bij het hooien, daar zullen ze wel blij mee zijn.

En op zo'n moment in het café vraag ik me altijd af hoe die oude mannen van het kaartspel, en degenen die bij de bar staan, zouden opkijken als ik niet zou antwoorden met een glimlachend ja, maar ik zou vertellen wat we gezien en gedaan hebben, hoelang het dan zou duren tot de kroegbaas zegt: "Hou op, joh, zo is het wel genoeg."

Hoeveel moeten we vertellen over de mannen die we lieten vertrekken om ze dan een kogel door het hoofd te jagen en het ravijn in te trappen om opgevreten te worden door de honden en jakhalzen?'

'En uiteindelijk bedenk je dat het lijkt of je nooit bent weggeweest. Of Algerije nooit bestaan heeft. Ik weet nog dat ik een paar weken zo leefde, ik begon weer goed te eten en te werken en zelfs plannen te maken, je slaat een bladzij om, alles wordt weer zoals het was', vertelde Février, 'en dat komt doordat de oude vrouw Fontenelle weer van achter haar gordijntje zit te loeren, doordat de kippen nog steeds graan pikken op de weg zonder op te kijken als je langskomt, doordat op precies dezelfde plaats als vroeger de geur van koeienmest, de plassen, de plastic laarzen en de modder je tegemoetkomt en doordat je jezelf hoort denken dat er nou eindelijk eens een betonnen stoep voor de ingang van die schuur moet komen. Alsof je nooit weg bent geweest.

En ik deed vooral mijn uiterste best om niet te hoeven nadenken.

Maar eigenlijk zat ik vooral aan Éliane te denken en deed ik wat ik kon om haar maar niet tegen te komen.

En 's avonds – eigenlijk 's nachts – was ik minder op mijn hoede, overmand door de slaap als ik was; en dan kwam het terug, en zei ik tegen mezelf: donderdag, volgende donderdag ga ik naar de markt, naar de plek waarvan ik wist dat zij er altijd met eieren en groenten stond; maar niet om haar te vertellen hoeveel pijn ze me gedaan had.

Dan werd ik wakker, brandend van het hevige verlangen om het haar gewoon te vragen, om gewoon te zeggen: "En wat denk je dat wij daar uitgevreten hebben, nou, wat denk je, terwijl jij me in de steek liet, terwijl jij met die vent, je hebt geen idee, ik – ik heb in die tijd kerels gezien van twintig, vijfentwintig jaar en zelfs een keer eentje die denk ik nog maar zeventien was, maar wel een fellaga, ondanks zijn leeftijd, ik herinner me hoe hij gilde en hoe hij zich verzette toen ze hem in de helikopter hesen, en het lawaai van de rotor boven de zee, en van hem, hij schreeuwde en hij smeekte, ik zag de doodsangst in zijn ogen – weet je wat dat is? Heb jij dat weleens gezien, hier op de markt, heb jij weleens doodsangst in iemands ogen gezien? Je hebt geen idee, Éliane, je hebt echt geen idee, ze hadden zijn voeten in een blok cement gegoten en toen het cement hard was namen ze hem mee in die helikopter en ik zweer je, hij zou de hele aarde verkocht hebben, de hele aarde verraden hebben, en jij in zijn plaats zou ook de hele aarde verraden hebben, behalve dan dat hij moedig was geweest, hij had alle stokslagen weerstaan, je had zijn rug eens moeten zien, zo blauw, zo zwart." –

Als ik dat tegen haar gezegd had, zou ze zich lang hebben gemaakt en geschokt gezegd hebben: "Het is allang uit tussen ons, het is uit, ik ben getrouwd, maak dat je wegkomt, laat me met rust, je jaagt de klanten weg met die verhalen."

En de oude vrouwen op de markt zouden me aankijken met een blik van wat-is-dat-voor-idioot: "Wat zegt die gek allemaal?"

En Éliane zou wanhopig en beschaamd uitkijken naar haar man of een familielid, iemand die haar hieruit zou redden, haar van me zou ontdoen, maar ik zou doorgaan: "Omdat hij tegenstribbelde dompelden ze hem naakt in het waswater van de drinkplaats op de binnenplaats, en daarna zetten ze hem met zijn lichaam in de volle zon, en dan weer zo'n lading stokslagen, dat wil je niet weten", maar zij zou de ogen neerslaan en zeggen: "Hoe je mond, hou je mond, hou op, stil."

En de oude vrouwen zouden zeggen: "Genoeg!"

En de oude mannen: "Genoeg!"

En ik zou vertellen dat hij dat allemaal had doorstaan, maar toen ze zijn voeten in het cement goten snapte hij het direct, en hij zou de hele wereld hebben verraden om de rotor van de helikopter maar niet te hoeven horen, en hij verklikte alles en iedereen – in welke grot de anderen en hij zich schuilhielden, de uitrusting, het netwerk, de ronselaars, de begeleiders, de medeplichtigen – en met zijn handen en vingers klemde hij zich zo stevig vast dat we erin moesten bijten tot ze bloedden en er daarna op los moesten slaan, slaan en blijven slaan, het leek haast wel of hij niet kón loslaten, maar toch liet zijn lichaam uiteindelijk los en ging zijn schreeuw in de blauwe hemel boven de Middellandse Zee ten onder in het lawaai van de rotor en de onverschilligheid van de zee.

En in de middaguren zat ik rokend naar de koeien en de rivier te kijken en hoorde ik de populieren ritselen in de wind, en wachtte ik op iets.

's Nachts voelde ik heel vaak de aandrang om op te staan, mijn ouders te wekken en hen te dwingen naar me te luisteren, ik stelde me voor hoe ze wakker zouden schrikken, rechtop in bed gingen zitten en vóór alles angst voelden als ze me op dat uur hun kamer zagen binnenkomen.

Hun glimlach als ik me vooroverboog naar hun dovemansoren, half bevreesd dat ik zo dichtbij kwam in mijn pyjama, met ogen die glansden alsof ik koorts had of dronken was, met het tikken van de klok als begeleiding, en zij, nog maar half ontwaakt uit hun oudemensenslaap, nog half versuft, nog nasnurkend, met opgezwollen ogen van de slaap, hun lichaam in de ruststand, en het bloed zo koud in hun aderen dat ze niet konden reageren. Dat stelde ik me voor, hoe vaak ben ik niet midden in de nacht bijna uit bed gesprongen om naar hun slaapkamer aan het andere eind van de gang te gaan en hen te overladen met een spervuur aan woorden over al die jongens van hier, uit deze streek, eenvoudige blanken, die rare dingen hadden gedaan, dat het echt niet alleen de mafkezen uit Indochina waren, en jullie maar denken dat ik de vrede herstelde, nou, ik en mijn maten reden in het weekend de woestijn in en dan deden we wedstrijdje, soms, vaak, joegen we op gazellen, en ik stelde me voor hoe mijn ouders zouden kijken als ze hoorden dat we gazellen achtervolgden door de woestijn en met ontbloot bovenlijf in de auto's stonden te schreeuwen, en ik zou mijn ouders zo graag dwingen om me aan te horen: luister, luister nou door tot het einde, over die gazellen die de heuvels in renden om te ontkomen en die recht tegen de zon in liepen om ons te verblinden – je zag hun silhouetten, kleine stofwolkjes, en hun rossige kleur, hun puntige horens en dan.

En dan. Dan niets.

Niets.

Dat weet ik allemaal nog', had Février gezegd.

Het was op de avond dat hij bij Rabut was gekomen om zijn hart uit te storten, want ook al zei hij het lachend en vertelde hij het op een bijna onschuldige toon, hij had uiteindelijk wel opgebiecht dat hij zijn vroegere maten vooral terug wilde zien omdat hij alles wilde vertellen wat hij had opgekropt en waar hij niet meer tegen kon, omdat het té aanwezig was, en dat hij zichzelf had wijsgemaakt dat als hij erover zou praten met mensen zoals hij, hij het abces zou kunnen doorprikken, zoals hij het noemde.

Maar nee hoor, dat was niet zo.

Hij had ze allemaal, de een na de ander, teruggezien.

De waarheid was dat je over het verleden niet kon spreken, je moest verder, je moest de draad weer oppakken, doorgaan, niet gaan porren. En hij stond alleen en hoorde hen steeds maar die woorden herhalen, als een bezwering of een gebed: je moet je leven weer opbouwen.

En uiteindelijk was er niemand die hem had laten uitpraten. Zo was hij bij Rabut beland, degene die hij het minst goed kende, maar wel de laatste met wie hij daar was omgegaan.

Rabut slaapt al jaren slecht, hij zoekt naar antwoorden en rilt als hij bedenkt dat hij ze vindt.

Met zijn vrienden van de Vereniging van Noord-Afrikaveteranen houdt hij elke zaterdag een bijeenkomst of een etentje. Dan denken ze aan hun makkers en ook aan de Algerijnen, aan hoe jammer het allemaal was, het gemis, hoe het zover heeft kunnen komen.

Dat houdt hij zich voor.

En ook die nacht wordt hij weer wakker en denkt hij er weer aan en vraagt hij zich weer af of het van de kou komt dat hij zo rilt, dat zijn hele lichaam trilt, of dat het die stem in hem is die er maar niet het zwijgen toe kan doen, die hem herinneringen influistert over een mijnenveld of een bouwval, woorden, vragen, beelden, een compacte, verwarde kluit waar hij niets anders dan angst en buikpijn van kan krijgen.

Hij gaat opstaan en een pilletje nemen, want hij zal zeggen dat hij last van maagzuur heeft. Of een droge mond. Of hoofdpijn. En misschien gaat hij wat melk opwarmen, met honing, om te ontspannen.

Nee.

Want het gaat toch gewoon door, al die beelden van vroeger. En Rabut staat op, zoals zo vaak rond een uur of drie, vier 's nachts. En dan moet hij altijd denken aan wat Février vertelde: 'We zaten in een bomkrater en toen ging het allemaal zo snel, we hadden het nu nooit meer over fellaga's, we zeiden altijd roetmop of soepjurk, want we hadden besloten dat het geen mensen waren.'

En zoals altijd zal hij tegen zichzelf moeten zeggen: Wakker worden, Rabut. Opstaan.

Hij zal zich voorhouden dat opstaan beter is dan deze halfslaap.

En die nacht denkt hij weer aan Bernard en aan Chefraoui, en ook aan Solange en aan wat een rotdag deze dag is geweest.

Ga ik morgen met de gendarmes mee naar Bernard? Heb ik daar de kracht voor?

Heb ik –

Ik stond op en trok mijn kamerjas aan, Nicole lag te slapen, ik zorgde ervoor dat ik haar niet wakker maakte – maar ze was eraan gewend om me naar de badkamer te horen sluipen om te plassen en daarna naar de keuken, waar ik ging zitten wachten terwijl de tijd verstreek, met een lindebloesemthee of iets anders, maakte niet uit, als het de tijd maar een beetje verdreef – en deze nacht was het weer eens heel erg, de angst en de beelden wilden niet verdwijnen, ook al was ik klaarwakker en uit bed.

Zo'n dag als vandaag. Het gezicht van Bernard en de angst van Chefraoui.

En dan komt het terug.

En als een idioot moest ik – tweeënzestig jaar oud, als een kind zo bang in het donker – licht maken, rechtop gaan zitten, opstaan, de slaapkamer uit gaan, water op mijn gezicht sprenkelen, me opfrissen, ja, ook mijn geheugen opfrissen terwijl je godverdomme juist wilde dat je geheugen je eindelijk eens rust gunde.

Ik dacht weer terug aan alles en ik zei bij mezelf: Wat heb ik gemist? Wat heb ik niet begrepen? Er moet vlak bij me iets gebeurd zijn, iets wat ik gezien heb, iets wat ik heb meegemaakt maar niet heb begrepen.

Daarom liep ik niet naar de keuken om een beetje in het niets te staren of te wachten tot de melk of het water in het steelpannetje warm was geworden, maar liep ik naar de gang, want daar was een kast.

Er zit van alles in, rommeltjes, conservenblikken, flessen water en melk. Maar ik moest wat hoger komen, en dat deed ik ook, ik zette mijn voet op de rand van de onderste plank, greep de bovenste plank vast en zo kon ik me optrekken en zien wat er helemaal bovenin lag, allerlei meer of minder nuttige zaken, een Mille Bornes – en een damspel, oude knopen in een plastic doos, en helemaal achterin een schoenendoos, met daar weer achter, haast niet te bereiken, de oude Kodak in zijn etui.

Ik pakte de schoenendoos en liep ermee naar de salon. Ik zette de doos op de lage tafel en deed het licht aan. Zo bleef ik even staan, aarzelend of ik de doos zou openmaken.

Liever niet te veel licht. Het kleine lampje met zijn groene lichtkring, te zwak om het hele vertrek te verlichten, was genoeg.

Waarom deed ik dit? Wat wilde ik vinden?

Ik vroeg me ook af na hoeveel jaar ik nu weer naar die oude foto's keek, het was zo lang geleden dat de jaren bijna niet meer te tellen waren. En ik zei tegen mezelf: Waarom doe je dit, Rabut? Waarom buig je je over die doos en haal je die foto's tevoorschijn? Wat zoek je? Er is niets te vinden, geen antwoord, ik ken al die plaatjes toch al, ik weet precies wat ik zal vinden.

En toch deed ik de doos open, en door de bruine enveloppen heen voelde ik de dikke stapels foto's, in elke envelop een onderwerp, allemaal van hetzelfde formaat, met de data in potlood of met pen achterop, en soms de namen van steden die me nu bijna niets meer zeiden. Ik zei tegen mezelf dat die data en die steden binnenkort niemand meer iets zouden zeggen, dat niemand meer iets zou weten van de verhalen die bij de foto's hoorden of zelfs maar wat de namen en plaatsen achterop betekenden.

Ik had zelfs de kaartjes van de trolleybus bewaard en ik moest glimlachen om zo veel onnozelheid.

Ik maakte de enveloppen open en alle foto's vielen als speelkaarten op de lage tafel, heel even wist ik niet meer welke ik wilde zien en wat ik verwachtte – ik had de moed al opgegeven om ooit iets van het relaas van Février te snappen.

Ik pakte de eerste foto's die voor me lagen. Ik boog me ernaartoe en bekeek ze nauwkeurig, een voor een. Eerst langzaam. Dan steeds sneller. Naar sommige bleef ik lang kijken en met andere was ik zo klaar, soms ging ik terug vanwege een detail, een vraag, een gezicht. En natuurlijk herkende ik mensen, plekken, straten, pleinen, kazernes, het kamp waar ik Bernard en de kleine Fatiha op haar step had gefotografeerd.

Ik keek langdurig naar de foto waarop ze in de lens kijkt, met op de achtergrond de gevel van haar huis. Ik bleef lang stilstaan bij haar gezicht met de ernstige, bijna strenge uitdrukking. En ook bij het feit dat ze helemaal in het zwart was gekleed.

Ik herinnerde me waarom ik jarenlang niet naar

haar gezicht had kunnen kijken, er zat een hardheid in, en ook iets wat ik toen al had gezien en wat ik al heel gauw, haast direct, hoe moet ik het zeggen, onverdraaglijk had gevonden. Want haar blik was beschuldigend geworden. Alsof ze ons verantwoordelijk hield voor haar dood, voor alles, voor de oorlog. Alsof ze die donkere kleren droeg om alvast te rouwen om het bloedbad dat nog komen moest, alsof ze om zichzelf in de rouw was, om haar eigen dood.

Ik wist het weer. Het is de belofte van leed, terwijl je in kinderen juist een belofte wilt zien van – een idioot woord – geluk.

Ik herinner me ook dat Bernard me een brief schreef. Hij zat helemaal in de Aurès of in Groot-Kabylië, dat wist ik nu niet meer, niet ver van de woestijn, en ik had net enige tijd in de gevangenis doorgebracht vanwege die vechtpartij, toen ik die brief van hem ontving – die kon ik er zo bij pakken, die moest hier ook ergens zijn, in een envelop. Ik twijfelde even, maar nee, waarom zou ik? Waarom zou ik die woorden weer herlezen en de blauwe inkt van de balpen op het ruitjesvel van een schoolschrift weer bekijken waarin hij me vroeg hem de foto's te sturen die ik van de kleine Fatiha gemaakt had.

Ik zag weer voor me hoe ik die brief las, de eerste keer, en mijn grote verwondering dat er niets anders in stond dan dit verzoek om foto's, geen woord over hemzelf of over die vermaledijde vechtpartij, of over daarna, alles wat er daarna gebeurd was, en die datum waarna we nooit meer met elkaar gesproken hadden.

De kilte, de afstandelijkheid van zijn brief. Alsof we elkaar nauwelijks kenden. Hij vroeg me alleen om die foto's, zonder enige opmerking over wat dan ook, niets over het nieuwe kamp waar hij zat, niets over hoe het met hem ging of hoe het met mij zou gaan, na alles geen enkele toespeling op, tja, op wat er was gebeurd.

Niets. Alleen een beleefd verzoekje en zijn adres.

Ik herinnerde me hoe ik me daarover verbaasde en hoe boos het me maakte. Na een paar dagen te hebben getwijfeld (eerst was ik namelijk vast van plan om hem de foto's niet te sturen, en dat had ik ook aan Nicole geschreven, niet om haar mening te vragen maar om aan te kondigen dat ik dat ging doen; daarna was ik gaan twijfelen), ging ik overstag, ja, uiteindelijk ging ik overstag en ik zag me daar nog foto's uitzoeken, de envelop dichtmaken, ik herinnerde me dat ik hem de afdrukken toestuurde met alleen één zinnetje ten geleide op een kaart, verder niets. Ik had graag even onverschillig willen zijn als hij. Maar dat was ik niet. Ik moest mezelf geweld aandoen. Want ik had met hem best over alles kunnen praten en dat had ik op dat moment ook wel gewild. Ik had hem kunnen vertellen dat ik van plan was geweest om hem mijn excuses aan te bieden omdat ik de naam van Reine had genoemd, dat ik dat nooit had mogen doen.

Ik had ook over de rechtszaak kunnen beginnen.

We hadden elkaar één keer gezien, op de kruising van twee gangen, we hadden elkaar alleen vluchtig aangekeken, zonder iets te zeggen, als schimmen, onbekenden die elkaar zagen en dachten dat ze die kop ergens van kenden, toen we veroordeeld werden vanwege het feit dat we te laat waren geweest, toen ze wilden vaststellen hoeveel nonchalance er in het spel was geweest, hoeveel medeplichtigheid, enzovoort.

Février en hij wilden graag bestraft worden. Ze hadden zelf om een straf gevraagd en ze hadden niks beters kunnen bedenken dan zich te laten overplaatsen naar een plaats waar echt gevochten werd.

En het leger vond dat prima, want vrijwilligers waren dun gezaaid.

Ik keek naar de foto's met de kartelrandjes en ik ging met mijn vingertoppen langs de witte randen die de afbeelding beter deden uitkomen, en toen moest ik eraan denken dat ik dat fototoestel in Algerije altijd voor mijn gezicht had gehouden om niets te hoeven zien, of gewoon om mezelf wijs te maken dat ik iets ... laten we zeggen zinnigs deed.

Daarna had ik nooit meer een foto gemaakt.

Zo bleef ik zitten en ik lette niet echt meer op de tijd, en al gauw was er een uur verstreken, zonder dat ik het doorhad, want ik zat nog steeds met die foto's voor mijn neus. En in tegenstelling tot wat ik dacht toen ik me had afgevraagd wat voor zin het had ze te bekijken – geen enkele, ik kende ze toch allemaal, ik wist dat geen ervan me een antwoord zou brengen, dat er geen antwoord was en. Toen toch wel.

Ze zeiden wel iets.

Ze zeiden iets. Heel veel zelfs. Allereerst zat er iets

achter de gezichten. Ja, je zag het duidelijk, de gezichten van die jonge mannen van een jaar of twintig. Al die jonge mannen die ik gekend had en van wie ik de namen, die steeds vager werden, nu door elkaar haalde.

De data op de achterkant als nutteloos geworden codes, al die data met de pen geschreven in een dun, keurig handschrift, niet van mij, maar van iemand anders, misschien wel van Nicole, toen ik net terug was, zij had ze willen ordenen, een naam willen geven of zo. Maar er stonden jonge mannen op die foto's en ik zag ze om drie uur in de ochtend tegen me glimlachen en grappen maken en kaarten, in shorts, met ontbloot bovenlijf en een zonnebril op, ik herinnerde me de kleren die we erop droegen, ik herinnerde me alles over ons, wat we zeiden. Maar er was nog iets anders: het was de glimlach van jongens die aan het spelen zijn, ze stonden voor me en ik vond ze zo mager, zo dun, zo nonchalant, een stelletje vrienden die lachend poseerden met de armen om elkaars nek, die grappen maakten en de clown uithingen, het leek wel een schoolplein.

Met angst in de maag. Waar was die angst in de maag dan? Hij stond niet op de foto's. Daar was hij niet te zien, die stond op geen enkele foto.

Wat bleef er dan nog over?

Ik zei tegen mezelf: hier zit ik dan, op mijn tweeënzestigste, in deze salon, rond vier uur 's ochtends foto's te bekijken met tranen in mijn ogen en een dichtgeknepen keel, ik moet moeite doen om niet om te vallen, alsof de glimlach en de jeugd van de jongens op die foto's dolkstoten zijn, hoe kun je nou weten wie we waren, wat we deden, dat is niet te zeggen, dat weet ik niet meer. Ik keek weer naar de foto's en zag ons weer in Oran in de dancings staan, de Météore of ergens anders, in een zwembroek aan de rand van het water, ik met een soort cape die gemaakt was van een bepaalde stof, ik droeg een soort kleine brancard die aan de andere kant ook door iemand werd vastgehouden en waar op het midden van de plank een doos stond, zo groot als een schoenendoos, maar ik meen dat hij van hout was, met een zwartgeverfd kruis erop.

En ik bleef maar staren naar dat beeld. Was het de dood? Een doos. Was dat het spel? Was het allemaal maar alsof? En toen herinnerde ik me Vader Honderd, ons ritueel om te vieren dat het aftellen was begonnen.

Over honderd dagen gaan we weg.

Over honderd dagen zwaaien we af en is het voorbij. Voorbij! En de andere beelden van het afzwaaien: deze foto, wat onscherp, waarop we in de vrachtwagen zitten, luid lachend onder de zonnehoeden en de zon en de zonnebrillen, een van de mannen houdt een lei vast waarop met krijt iets geschreven staat: LEVE ONZE LICHTING! Een ander draagt een kegel om zijn hals aan een touwtje; en ik herinner me dat mijn handen trilden en dat ik de foto's plotseling steeds sneller moest bekijken, alsof ik geen lucht kreeg, alsof ik niet kon ademen, en ik bekeek ze allemaal, één keer, twee keer, en daarna wilde ik sommige nog een derde keer bekijken, maar nee, niets: nergens iets te zien. Een grote leegte nam bezit van me, een gevoel van grote leegte, een gapend gat. En toch probeerde ik het me te herinneren. Het rook er toch naar brandend stro, gegil in mijn oren, de geur van stof in mijn neus, en de weggetjes, de angstige blikken; waar waren die dingen dan te zien, op welke foto's stonden ze? Nergens, deze foto's hielden me juist bij alles weg, net als de spullen die we van daar hadden meegebracht, die woestijnrozen, belachelijk gewoon als je eraan terugdacht, maar die waren bewaard gebleven en lagen nu ergens in het buffet in de eetkamer naast de vakantiesouvenirs uit Spanje en de Balearen.

En ik herinnerde me hoe ik me schaamde toen ik thuiskwam uit Algerije en we de een na de ander terugkwamen, behalve Bernard – die had zichzelf tenminste de vernedering bespaard om terug te komen en te doen wat wij deden: zwijgen, foto's laten zien, ja, veel zon, mooi landschap, zee, klederdrachten en vakantiebeelden om het een beetje zonnig in het hoofd te houden, maar geen oorlog, welnee, geen oorlog, oorlog was er niet; en de foto's, ik keek er weer naar en zocht naar ten minste eentje, één enkele maar, die zou vertellen: kijk, zo gaat het nou in de oorlog, hier lijkt het op, iets wat lijkt op de beelden van de televisie of uit de krant, niet op een verblijf in een vakantiekamp, of met de mensen in de straten van Oran, winkels die gewoon open zijn, druk stadsverkeer; en waarom stond er op geen van de muren die ik gefotografeerd had ooit ALGERIJE ZAL OVERWINNEN, geen enkele muur was beschilderd, beklad, overgeverfd, afgekrabd, er was nergens een wapen te zien, niets, niets dan leegte en het monsterlijk mooie weer met alle zon en blauwe lucht.

Foto's van de zee.

Alle jongens op de brug, rokend en kijkend naar de nevelige, verre horizon, of juist 's nachts, luisterend naar het stampen van de machines en de wind, voor een boerenzoon was het verbazingwekkend te merken dat de schroef buiten het water kwam, alsof de boot ging vliegen, gevolgd door het lawaai waarmee hij weer tegen het onstabiele, bewegende wateroppervlak viel.

Op bepaalde foto's zag je alleen iets vaags in de verte, waarvan je niet kon raden of het bij aankomst of vertrek was geweest. Het enige wat ik me herinnerde was dat ik de zee voor het eerst had gezien in Marseille, toen het koud was en grijs en ik me moest inschepen naar Algerije.

Ochtend

Toen ik opschrok wist ik niet of dat kwam omdat ik zat te slapen of omdat ik iets op de gang hoorde.

Ik ging rechtop zitten en pakte de foto's met beide handen op, zonder ze uit te zoeken, om ze snel in de enveloppen terug te stoppen en de enveloppen in de schoenendoos te gooien. Alsof ik niet wilde dat Nicole ze zou zien. Alsof ik zou moeten vertellen waarom ik die oude plaatjes zat te bekijken en iets zou moeten uitleggen, alweer iets zou moeten uitleggen; en daarom stond ik op en liep ik pijlsnel de salon door om de schoenendoos terug te zetten op zijn plaats, in de kast bij de voordeur.

Nicole stond voor me.

Ik deed de kastdeur dicht en ik zag dat ze afwachtend naar me keek, haar kamerjas hing open, en haar ogen – ze dacht na en ze vroeg niets, ze maakte haar kamerjas dicht, legde een hand op de radiator en ik wist dat ze me het liefst zou vragen waarom ik niet in bed lag – ze had haar ogen weer strak op me gericht alsof ze me wilde vragen wat ik hier deed, waarom ik er zo verward en betrapt uitzag.

En dan zou ze misschien willen vertellen hoe laat het was, hoe vroeg het al was, heel vroeg nog: 'Hoelang ben je al op? Kom toch weer naar bed, kom nou slapen, je moet slapen, over een uur moeten we op' – maar ze zei niets.

Ze vroeg alleen of ik al koffie wilde. Ik antwoordde dat ik die zelf wel ging maken, dat zij wel weer naar bed kon gaan. Want dat speelde ook een rol, dat ik nu het liefst alleen was, nog even niets doen, even nadenken, alleen maar luisteren naar het gepruttel van de koffie in de koffiekan, eerst het water horen druppelen en op het eind de klik, dan de koffie inschenken, de geur opsnuiven, de warmte door de kom heen voelen en langzaam drinken, met kleine slokjes, bijna tastend alsof je voetje voor voetje loopt, om langzaam tot mezelf te komen, langzaam in de dag te komen.

Ik dronk mijn koffie in de keuken, alleen. Toen vroeg ik me af hoe het verder zou gaan, hoe ik naar het plein voor de kerk zou lopen, of toch misschien liever eerst even bij Solange langs?

Ik zag niets voor me liggen, geen snippertje van de toekomst.

Ik deed mijn oude wollen jas aan, pakte mijn laarzen en handschoenen, en liep bijna een uur lang door de weilanden. Ik liep over de bevroren grond terwijl ik het in de verte langzaam licht zag worden, het donker loste op, er trokken blauwe en roze strepen door de hemel en in de verte was de lucht bijna wit. Raven in de zwarte bomen. De eerste nieuwbouwhuizen. De elektriciteitspalen langs de weg. Ik zag het allemaal en ik voelde de kou, de witte adem die uit mijn neus en mond kwam, en de stilte als een beeldje in cellofaan – ik was niet bedroefd, alleen maar ongerust over wat ik straks moest doen.

En ik zei tegen mezelf: misschien doe ik wel niks, blijf ik gewoon thuis wachten en doe ik niks.

Ik vroeg me af waarom ik weer aan Bernard moest denken. Alleen maar aan hem.

En ik moest mezelf bekennen dat wat ik nu zo in hem haatte niet door hemzelf kwam, niet door hoe hij vroeger was geweest, in zijn jeugd, maar door het simpele feit dat ik hem elke dag zag, op straat en in het leven, dat ik elke dag zag hoe hij in zijn hele lichaam, in zijn voorkomen, en ook in de manier waarop hij geworden was wat hij geworden was, de geschiedenis van ons beider leven meedroeg. En het stoorde me dat hij geworden was zoals ik ook had moeten worden als ik in staat was geweest de zaken niet zomaar klakkeloos te accepteren.

Maar nu kan ik thuisblijven, hier blijven zitten, tegen mezelf zeggen dat ik al die beelden moet verjagen en ja roepen toen ik Nicole hoorde: 'Wil je nog koffie?'

'Ja.'

Niet nadenken, de kom pakken die ik op het aanrecht heb gezet. Kijken hoe het water stroomt. De kom helemaal vullen, het water over de rand laten stromen, eroverheen laten vallen als in een fontein. Dan de kom afwassen, omspoelen, je handen verwarmen aan het water, hem afdrogen en aan Nicole geven. Ik keek haar niet aan, maar ze wist vast wel waar ik aan dacht.

Maar toch: had ik haar ooit iets verteld over daarginds? Had ik toen ik terug was ooit de tijd genomen om te zeggen: 'Weet je, Nicole, 's nachts moeten we vaak huilen omdat we voorgoed getekend zijn door de beelden die zo verschrikkelijk zijn dat we er zelfs niet met onszelf over kunnen praten.'

Ik ging zitten en dronk de koffie, met mijn ogen strak op de kom om maar niets te zien, om alleen maar te voelen dat mijn maag zich omdraaide van al die koffie, en ik moest eraan denken hoe de mieren over onze handen kropen als we de hele dag lang met ons geweer de wacht hielden en iets in de gaten moesten houden, een gehucht, een grot, een bosje, wat struiken.

En ik herinnerde me hoe gek we werden van de insecten, dat we ze overal zagen, op de muren, in ons hoofd; we hadden jeuk van het vuil en de insecten, maar soms alleen maar van de zandkorrels.

Ik zat daar met mijn kop koffie en ik kon mijn hoofd niet optillen toen ik Nicole hoorde bewegen, opstaan, gaan zitten, zelfs het geluid van de afwas en van een kast die open- en dichtging deden me pijn. Ik herinner me dat ik van alles opschrok. Vermoeidheid. Ik zei tegen mezelf: dat komt van de vermoeidheid. Ik had niet geslapen, niet genoeg tenminste, en daar kwam het door – niet door de vierkante binnenplaats die ik nog altijd van bovenaf, vanaf een loggia, voor me zag. Eén beeld in mijn hoofd: een vierkant van aangestampte aarde, een beetje gelig wit, en ik die in het begin, toen ik de opdracht kreeg de gevangenen te bewaken, zo blij was met de koelte daar. Maar daarna –

Geschreeuw, gehuil, gerochel. Stiltes die te lang duurden.

En daarna –

Daarna was ik zomaar naar het plein voor de kerk gereden en natuurlijk was er nog niemand, daar niet en ook niet op de weg.

Ik kwam niemand tegen, zo vroeg in de morgen, het was nog te vroeg, de weg was nog te grauw, en toen ik stopte op het plein voor de kerk durfde ik de motor niet af te zetten. Ik bleef er vrij lang staan, een minuut of twintig, en ondertussen luisterde ik naar het nieuws op de radio – nou ja, ik luisterde niet echt, ik liet de stemmen de auto binnenkomen zoals de verwarming de warme lucht naar binnen blies. Ik draaide het raampje open en boog me naar buiten, ik werd bevangen door de ijskoude lucht. Ik hoorde de kerkklokken. Het was kwart over zeven, half acht, zoiets, en ik zei tegen mezelf: ze komen zo, of nee, misschien nog niet, straks pas, over een uur of twee.

Ik zei tegen mezelf: het heeft geen zin om hier te blijven wachten.

Ik dacht aan Patou, die het café zo wel open zou doen, dat ik daar eigenlijk best koffie kon gaan drinken. Dat dacht ik, maar toch deed ik gedachteloos de handrem omlaag en liet ik de auto langzaam op gang komen. Terwijl ik ook uit had kunnen stappen en naar Patou had kunnen lopen.

Maar dat deed ik niet.

Ik draaide het raampje dicht en reed weg. Heel langzaam.

Zonder precies te weten waarheen.

Op dat moment begreep ik dat ik besloten had niet met de gendarmes mee te gaan naar Bernards huis. Dat ik geen koffie zou gaan drinken bij Patou om haar zo vroeg in de morgen al te horen zeggen: 'Misschien biedt hij zijn excuses wel aan en dienen de Chefraoui's geen klacht in, misschien ...'

Misschien was het allemaal volkomen onbelangrijk, misschien wisten ze niet waar het over ging zolang ze de onderliggende geschiedenis, de enige die wat betekende, niet naar boven hadden gehaald, inclusief alle hersenschimmen, onze hersenschimmen die steeds talrijker werden en die de bouwstenen vormden van een raar huis waar je je moederziel alleen in opsloot, ieder voor zich, en met wat voor vensters? En hoeveel? En op dat moment bedacht ik dat je je eigenlijk je leven lang zo min mogelijk zou moeten bewegen om geen verleden op te bouwen, zoals we dat nu dagelijks deden, omdat dat verleden stenen maakte en die stenen muren vormden. En nu zagen we onszelf en de anderen ouder worden, en we begrepen niet waarom Bernard daar in dat kot woonde met zijn stokoude honden en zijn stokoude herinneringen, en zijn haat die ook zo stokoud was dat het niet veel meer uitmaakte wat je zei.

Ik zou niet naar Patou gaan en niet naar Solange, naar niemand die nog de neiging kon hebben me iets te willen zeggen, uit te leggen, me te willen overtuigen.

Ik hoefde niets meer te horen. Er was niets wat ik nog wilde weten. Niets wat ik nog eens zou willen horen, verwachten, herbeleven, behalve dan misschien dat ik wel had willen weten waarom mensen foto's maakten, en waarom we door die foto's dachten dat we geen maagpijn hadden en goed konden slapen.

Algerije. Oran. 1961.

Ik zie me daar nog zitten, ik had net een blik geworpen op wat er vlak naast haar op het tafeltje lag, op het caféterras waar we zaten, haar handtas met twee hangers aan de rits. Ik had Bernards adres aan Mireille gegeven omdat ze werkelijk diepbedroefd en verward was en zich uitputte in excuses tegenover mij, alsof ze die ruzie had kunnen voorkomen en alles haar schuld was. Ik zei: 'Welnee, dat kon je niet weten.'

'Maar als ik wel gekomen was.'

'Ja, als je wel gekomen was, ja, dan.'

En zo was ze maar doorgegaan, ze was heel ongerust, ze wilde Bernard terugvinden en hem uitleggen waarom ze die dag niet gekomen was – alle wijnstokken van haar vader vernield, haar vader, die de Franse soldaten vervloekte omdat ze dit niet hadden kunnen verhinderen. Dat was het. En die verdomde dienstplichtigen, en dat verdomde plannetje van De Gaulle om een staatsgreep te voorkomen. Dat had haar vader gezegd. En de andere meisjes waren omwille van haar ook niet gekomen, ze had ze gebeld en ze hadden besloten om niet zonder haar te gaan.

Wat ze wel wist, was dat ze de wereld om zich heen langzaamaan zag instorten, en de vriendschappen ook: er waren vrienden die niet meer met haar wilden omgaan. Ze had het over Philibert en noemde hem een verrader, en ik herinnerde me zelfs nog dat ze dat met zo veel woede in haar stem zei dat die er veel dieper, bijna mannelijk door klonk; ze had haar zonnebril weer opgezet om zich te verschuilen en ze ging maar door over Philibert en zijn Spaanse vrienden: 'Allemaal communisten, ze gooien het allemaal op een akkoordje met de terroristen, ze steunen de terroristen en de onafhankelijkheid en nu beweren ze dat iedereen overal de pieds-noirs zal haten en dat dat komt door mensen zoals mijn vader, dat niemand meer iets met ons te maken wil hebben, dat we het hier gaan verliezen, dat we hier van onze eigen grond zullen worden verjaagd en dat ze ons in Frankrijk met de nek zullen aankijken en zullen verachten, dat zegt Philibert, hij heeft het over de loop van de Geschiedenis en hij beweert dat we aan het kortste eind zullen trekken omdat we niet van deze tijd zijn, te egoïstisch, te blind, en toen ik het aan mijn vader vertelde verbood hij me om ooit nog met hem om te gaan. Maar dat wil ik ook helemaal niet, niet met Philibert en niet met de Spanjaarden, met geen van hen', zei ze.

Ik reed terug naar La Migne en nog verder in de richting van Het Kruis van de Dode Vrouwen, en van daaruit keek ik uit over de gehuchten, de sneeuw, de verstilde velden; en ik ging harder rijden. Zonder ergens aan te denken. Zonder te denken. Maar ik dacht aan haar, Mireille, gewoon, hoe ik haar nog een paar keer had gezien, en vooral die ene keer in Choupot in 1962; maar het duurde echt niet lang voordat alles was afgelopen, misschien al in de eerste bar waar we elkaar zagen.

En ook die keer was ze alleen.

Ik zag haar lijkbleek een kop koffie drinken, met trillende handen, terwijl ze de ene sigaret na de andere rookte. En toen gooide ze alles eruit tegen mij, ook al was ik een willekeurig iemand, een snuiter die ze nauwelijks kende, die ze uit de hoogte zou moeten behandelen en die ze zelfs een beetje zou moeten haten omdat het mijn schuld was dat ze Bernard niet meer zag. Maar niets daarvan. Ze haatte me niet. Ze mocht me ook niet. Ze had gewoon een luisterend oor nodig. Ze moest haar hart uitstorten bij iemand die Bernard een beetje kende, en ik was zijn neef, degene die haar zijn adres gegeven had, en ze had me verteld – eerst wilde ze haar zonnebril niet afzetten, pas toen ik aandrong had ze hem alleen even omhooggeschoven om, ja, om het me te laten zien, zodat ik het kon zien.

'Hij wordt gek,' zei ze, 'papa wordt gek.'

En bleek en beschaamd, met haar blik neergeslagen naar haar koffiekopje gericht, vertelde ze dat haar vader een vreselijke driftbui had gekregen toen hij de brieven van Bernard had gevonden, en dat hij alles begreep toen hij ze las, ja, alle plannen die ze samen hadden, naar Parijs gaan, trouwen, werk vinden, kinderen krijgen. De vader had gebulderd en zijn dochter een draai om de oren gegeven – nee, geen draai om de oren, want wat ik zag was bepaald niet het gevolg van een draai om de oren, maar toch drukte ze het zo uit: 'Hij heeft me een draai om de oren gegeven.'

Ze had geen kik gegeven. Ze had zich laten slaan omdat ze wist dat ze geen antwoord had toen hij schreeuwde: 'Je gaat niet, hoor je, mensen die weggaan zijn verraders en verraders moet je afmaken, zo simpel is het, en het leger, de soldaten, de troepen van De Gaulle die iedereen maar laten roven en plunderen en verwoesten, onze landerijen, onze huizen, alles wat van ons is, maar ze zullen het nooit krijgen,' schreeuwde hij, 'en ik verbied je om weg te gaan.'

Dat vertelde ze, dat ze niet geschreeuwd of gereageerd had toen haar vader haar sloeg. Dat ze haar tranen in bedwang had weten te houden. Zelfs toen ze het me vertelde was ze er nog trots op, trots om me te vertellen dat ze het pak slaag had doorstaan zonder een kik te geven uit respect voor haar vader.

Ze glimlachte erbij. Die glimlach zou me altijd bijblijven.

En ik herinnerde me ook dat ik me toen afvroeg of die glimlach niet het meest gestoorde was aan dit alles, nog vreemder dan de bloeduitstortingen rond haar oog of de koffer die naast haar stond en waarvan ze vertelde dat ze die diezelfde ochtend had ingepakt.

Onderweg bedacht ik dat Bernard nooit meer over haar had gesproken, geen woord over de periode dat ze samenwoonden in een voorstad van Parijs, en ook dat alles ons eigenlijk volstrekt niet hoefde te verbazen, omdat ik me haar zachte handen herinnerde die niet gemaakt waren om te werken. Zij geloofde geen moment dat dit het einde was van Frans-Algerije. Ze leefde in een droom en ze geloofde geen moment dat ook zij zou moeten vertrekken, net als de anderen, zonder hoop op terugkeer en niet uit vrije wil.

En toch gebeurde het. Niet die keer dat ik haar zag met haar koffer, maar een paar weken later. Toen alles anders was, toen het voorbij was, ik herinnerde me opeens weer dat het voorbij was toen de akkoorden van Évian heel ver van ons waren getekend, en alles wat erbij kwam, de vreugdekreten, het gejubel, het getoeter: heel Oran was in een onbeschrijfelijke staat van vreugde; ik herinnerde me dat we door de stad reden en dat die opeens veranderde, dat iedereen plotseling zonder angst rondliep, eindelijk zonder angst, en de vreugde die iedereen voelde en die zich niet meer liet bedwingen, die iedereen de vrije loop liet, dat er daar opeens een heel volk stond dat door het dolle heen was vanwege de vrijheid; en als we naar ze keken, werden we in zekere zin geconfronteerd met wat onze eigen ouders minder dan twintig jaar geleden moesten hebben gevoeld toen de Duitsers Frankrijk verlieten, de vreugde, het geluksgevoel, het grote geluk waar een menigte toe in staat is die buiten zinnen raakt, ja, dat weet ik nog, die dolle, schitterende emoties van de Algerijnen –

en toen gleed de auto weg.

Zachtjes. Een bevroren waterplas, ijzel. Ik reed iets te hard, en iets te ver naar rechts. De auto gleed weg. Ik voelde dat hij weggleed – maar langzaam, zachtjes, ik bedacht dat ik niet moest remmen, dat ik het gas los moest laten en de auto moest laten glijden.

En toen viel hij in een greppel op zijn kant.

Het ging heel zachtjes, zonder geweld. De auto gleed op zijn rechterkant, helemaal, de hele rechterkant. De greppel was niet diep, maar diep genoeg zodat ik de auto er niet zelf uit kon krijgen. Toen deed ik het portier open en probeerde uit de auto te komen. Dat lukte niet. Of ik gaf het op, dat weet ik niet meer. De weg zou de eerste een à twee uur nog wel uitgestorven blijven, misschien zelfs wel langer, zo vroeg op een zondagmorgen, ik zei tegen mezelf dat er voorlopig wel niemand langs zou komen.

Ik deed het portier weer dicht en ik keek naar het bos links: de schaduw van de toppen van de dichtstbijzijnde bomen viel gedeeltelijk over de weg. Aan de rechterkant lagen velden, dat wil zeggen een uitgestrekte sneeuwvlakte, heel ver, heel breed, tot schuin beneden, waar een boerderij stond. Maar die was erg ver weg. Geen geluid te horen. Hoogstens wat gekraak in de bomen, het geluid van natte takken die tegen elkaar aan schuurden.

En ik in de auto.

Ik liet de motor langzaam draaien om het een beetje warm te krijgen. Daarna zette ik hem af. Ik herinnerde me de smalle, geasfalteerde weg die rechtdoor ging, en er was niets voor me, niets, en ook in mij was er niets anders dan een terugkeer, en de aandrang, de behoefte om – de veel te fijne handen van Mireille, die er geen notie van had wat het betekende om je eigen brood te verdienen met schoonmaken en naaien, en ook geen notie hoe het zou zijn als ze daar met Bernard in Parijs zou zitten: die garage kreeg hij nooit, hij zou aan de lopende band belanden in de Renaultfabrieken, net als iedereen, en dat leven met ploegendienst, dienstrooster en metro, dat leven waar zij geen benul van gehad had en waarin voor jonge mensen, voor de Olympia en Gilbert Bécaud en de oevers van de Seine geen plaats was, behalve dan misschien heel soms op zondagmorgen, had haar niets anders te bieden dan één groot gemis, een verloren droom waar ze altijd om zou treuren, zoals ze het aan haar ouders verwoordde, in lange brieven vol spijt en berouw die haar vader nooit openmaakte.

En ze nam het Bernard kwalijk, hij werd haar zondebok, want ze had er een nodig.

Dat had ik meteen al door toen ik zag dat ze alles van hem verwachtte, en veel te veel van alles, dat ze alles van hem verwachtte zonder te begrijpen dat haar leven nooit meer zo makkelijk zou worden, zoals ze dat ook niet begrepen had op de dag dat ze gezien had dat haar vader de wapens opnam en aan het raam ging staan om het vuur te openen op de eerste de beste die dichterbij zou proberen te komen. Ze zag het, ze zag haar wereld wankelen en instorten, de wereld waarvan ze altijd gedacht had dat hij sterk was en eeuwig zou voortduren zag ze die lente ten onder gaan, ze zag mannen die met vereende krachten auto's voortduwden, Dauphines, Arondes, buren die elkaar hielpen om de auto's waar ze jaren voor gespaard hadden, vooruit te duwen tot ze over de kademuur vielen met het geluid van brekend ijzer, alsof je een zilverpapiertje verfrommelt en weggooit. Ze zouden niets achterlaten, voor niemand iets achterlaten, dat stond op alle gezichten te lezen, we laten niets voor ze achter, en ze zag vrouwen en meisjes en jongetjes huilen omdat ze dachten dat ze hier, in de steek gelaten en alleen, eenzaam zouden sterven. En om hen heen waren mannen, buren, ooms druk in de weer, al die mannen die niets wilden achterlaten en die de meubels met bijlen kapotsloegen, oude familiestukken uit het raam gooiden terwijl er uit de appartementen een brandlucht opsteeg en er op binnenplaatsen en in tuinen meubels werden verbrand en vaatwerk werd stukgegooid, alles moest kapot, het enige wat overbleef was de ontreddering op de ontdane gezichten langs de kant van de weg, op de kades, op de luchthaven, en plotseling waren de straten gevuld met volgestouwde bestelauto's, met mannen die met een sigaret tussen de lippen op de treeplank stonden om de stoelen en tafels in balans te houden, beambten die we jarenlang elke dag hadden gezien maar die nu weggingen, die verdwenen en bezwoeren dat ze nooit meer zouden terugkomen, en ze bedachten hoe de mensen in Frankrijk al die kolonialen al aan zagen komen die in allerijl hun bezittingen voor een schijntje hadden verpatst en hun bedrijven met veel tegenzin en boosheid achterlieten, net als de rest van hun levens en de lichamen van hun voorouders die weg lagen te rotten op kerkhoven waar ze nooit meer zouden komen en die overwoekerd zouden worden door het onkruid – en dan herinnerde ik me weer die grote vreugde, maar ook hier en daar een schutter in of op een flatgebouw, iemand die schoot omdat hij dacht dat hij het zich nog steeds kon permitteren iedereen tegen zich in het harnas te jagen, terwijl die tijd nu echt voorbij was, en uiteindelijk klonken er schoten uit de sjieke wijken, schoten die je niet hoorde door al het gejubel, de vrouwen en kinderen op straat en de vlaggen die plotseling overal als vanuit het niets werden uitgestoken, de Algerijnse vlag, waarvan Mireille niet eens wist dat hij bestond en die ze zag toen ze even alleen op straat was, dat wist ik, omdat ik haar daarna op de kade zag, ze stond op de kade en we keken naar de boten en de huilende mensen die we moesten helpen en bijstaan, mensen die voortstapten zonder op of om te kijken, die voor een futiliteit met elkaar op de vuist gingen en die door ons, de soldaten, uit elkaar gehouden moesten worden, omdat de een de ander maar vluchtig aanraakte of ze wilden elkaar al afmaken, vrouwen met kinderen in hun armen, kinderen met poppen in hun armen, en poppen met lege, lichtblauwe ogen, zo blauw als de hemel, de loden hemel, en ze boften dat de zee zo kalm was, en de boten voeren weg met in hun kielzog de geur van muf schuim, en vele koppige halzen weigerden zich om te draaien en te kijken naar wat ze achterlieten, we moeten recht vooruit kijken naar wat er van ons zal worden, hoe het allemaal zal zijn, zo gingen ze hier weg, vol onbegrip, met koffers onder de arm, en anderen stelden het moment uit, weer anderen lachten, ik heb er echt wel een paar zien lachen en breeduit zien zwaaien terwijl ze rookten en de clown uithingen om van hun angst voor de toekomst een grap te maken, en ik had ook, dat moest ik wel – eh ... toegeven, zeggen, het gezicht gezien van weer anderen over wie je het liever niet zou hebben, zoals die luitenant die ik in tranen zag uitbarsten omdat hij geen antwoord voor ze had, omdat hij ze niet kon vertellen dat ze in de steek gelaten werden, wat ze nooit hadden verwacht, wat geen van hen ooit voor mogelijk had gehouden, er was hun toch beloofd, het leger, Frankrijk, iedereen had hun van alles beloofd en niemand hield zich eraan, en ik herinnerde me, en velen met mij, wij allemaal herinnerden ons de harki's, dat we gedwongen werden om ze uit de wegrijdende vrachtwagens te zetten, de klappen met een geweerkolf om te verhinderen dat ze weer instapten, hun geroep, hun verbazing, het ongeloof op hun gezichten, ze konden het niet geloven, en wij konden het ook niet geloven en toch deden we het, we sloegen met de geweerkolf op hun handen zodat ze niet in de wagens konden klimmen, we lieten ze schreeuwend, brullend, huilend achter, we lieten ze in de steek en verrieden ze, en we wisten heel goed wat er ging gebeuren, wat er met hen zou gebeuren, met duizenden van hen, inclusief Idir, Idir en de anderen, Idir en de hele rest, zijn gezicht dat oploste in de gezichten van al die anderen, ik wist het precies omdat ik het zelf gezien had, ik zag hoe ze met honderden tegelijk gedwongen werden om benzine te drinken, waarna hun lichamen in brand gestoken werden en verbrandden – Idir was dood en ik stond erbij en keek ernaar, en ik vroeg me af of ik mannen zag, mannen hoorde die wij verraden hadden, en de Algerijnse vlag, en het gejubel, en de woedende idioten van de OAS die door de straten trokken om alle Europeanen af te maken die weg wilden, en het OAS op de muren, overal stond OAS, en nog meer aanslagen, tot het bittere einde, ruiten die sneuvelden, lichamen die vielen in de nacht, honden die op de trottoirs zochten naar een stuk vlees op een hoop vuilnis, de vuilnisbelt die omviel, en wij die allemaal nog een paar weken moesten blijven, wachten tot het voorbij was, tot we weg zouden gaan, weg uit Algerije, tot we konden zeggen het is voorbij –

en.

Zo bleef ik in de auto zitten. En toen opeens was ik blij dat de auto vastzat in de sneeuw, dat ik niet weg kon, me niet kon bewegen. Ik dacht dat ik zo moest blijven wachten, dat het goed was dat er even niets bewoog, dat ik een tijdje zo bleef balanceren. Ik luisterde even naar de radio, daarna was er alleen nog stilte. Ik moest weer denken aan Bernard, aan Chefraoui. Ik dacht ook aan Solange, die nu wel bij de gendarmes zou zijn.

Voor het eerst bedacht ik dat ik er misschien nog eens naar terug zou willen, om te zien of er boerderijen waren met vierkante, bijna witte binnenplaatsen, en kinderen die op blote voeten voetbalden. Ik zou best willen zien of Algerije bestond en of ik er niet nog iets meer dan mijn jeugd had achtergelaten. Dat zou ik met eigen ogen willen zien. Of de hemel net zo blauw was als in mijn herinnering. Of ze er nog altijd kemia aten. Ik zou iets willen zien wat niet bestond, wat je in jezelf in leven hield als een droom, een wereld die bonkte en klopte, ik zou best willen – ik wist niet wat ik zou willen, ik had nooit geweten wat ik wilde; toen in de auto wilde ik gewoon nooit meer het geluid van kanonnen horen, nooit meer geschreeuw, nooit meer weten hoe een verkoold lichaam rook of wat de geur van de dood is – ik zou willen weten of je kunt beginnen met leven als je weet dat het te laat is.

Laurent Mauvignier bij De Geus

In de menigte

29 mei 1985. De finale van de Europacup I in het Heizelstadion. Liverpool tegen Juventus, de wedstrijd van de eeuw. Een onbezorgde kennismaking tussen jonge mensen en hun aanhang. Dit verhaal gaat niet over voetbal, maar over een noodlottige dag die het leven van deze mensen voorgoed verandert. Noodlottig omdat het toeval ervoor zorgt dat zij aanwezig zijn bij de wedstrijd. En daarmee worden in één klap hun onschuld en jeugdige onbezorgdheid weggevaagd.
De jonge bruid Tana wordt het pijnlijkst getroffen door het verlies. Haar wanhoop en verdriet zijn schrijnend en overweldigend, net als de gekte in de uitzinnige menigte van supporters. De Franse vrienden Jeff en Tonino verliezen hun vrijmoedigheid, en Gabriel, die met zijn vriendin Virginie uit Brussel komt, moet zijn bravoure inruilen voor een bittere teleurstelling. De Engelse Geoff ontdekt dat hij zijn afkomst niet kan verloochenen op het moment dat de menigte in waanzin uitbarst en dat hij ten onrechte heeft neergekeken op zijn broers. Hij blijkt een van hen te zijn.

Mauvignier trekt de lezer op meesterlijke wijze mee in de rampzalige gebeurtenissen van die dag, spelend met perspectief en stijl. Dit verhaal grijpt je aan en sleurt je mee naar de dag dat blijkt dat het lot de gruwelijkste speling kan laten leiden tot een nieuw levensgeluk.